KB086220

PRAY
ORIGIN
프레이 오리진

나이트런 프레이 오리진 | 5

2022년 6월 2일 초판 1쇄 발행

원 작 김성민
편 집 이열치매, 최지혜
마케팅 이수빈

펴낸이 원종우
펴낸곳 블루픽
주소 경기도 과천시 뒷골로 26, 2층
전화 02 6447 9000
팩스 02 6447 9009
메일 edit01@imageframe.kr
웹 http://imageframe.kr

ISBN 979-11-6769-136-1 07810
979-11-6769-066-1 (세트)
정가 14,800원

이 책의 판권은 저작권자와의 독점계약으로 블루픽에 있습니다.
저작권법에 의해 한국 내에서 보호받는 저작물이므로 무단전재 및 복제를 금합니다

CONTENTS

Knight Run

part 41

Knight
RUN

콜로니 소멸 확인.
울버린, 네티, 손상이 다소 있지만 영향권에서 벗어나고 있습니다.
중앙이 개발 중이던 그래비티건을… 도대체 어디까지 성장한 거지? 이 괴물은…
이미 한 행성 규모의 침식이라고 말할 수 없어.

이것이 앨리스 타입…
숫자도 기술도 제1급 경계종.
이젠 이미…
쾅
도대체 지금까지의 희생은…
결국 우리는 뭘 위해서…!!

가웨인.
흥분 가라앉히고 다음 작전을 위해 대열을 정비하도록.

예… 알겠습니다.
우린 아직 살아 있어.

그리고 아직… 결정적인 한 수가 남아 있잖아.

맡은 물건은?
연산 완료. 안정화 되어 있습니다.

콜로니에 실어 뒀던 M&F 메신저 들은?
격추 전에 살포 및 중계 했습니다.
메시지는 모두 전했습니다.

Anne is coming.
앤이 내려간다.

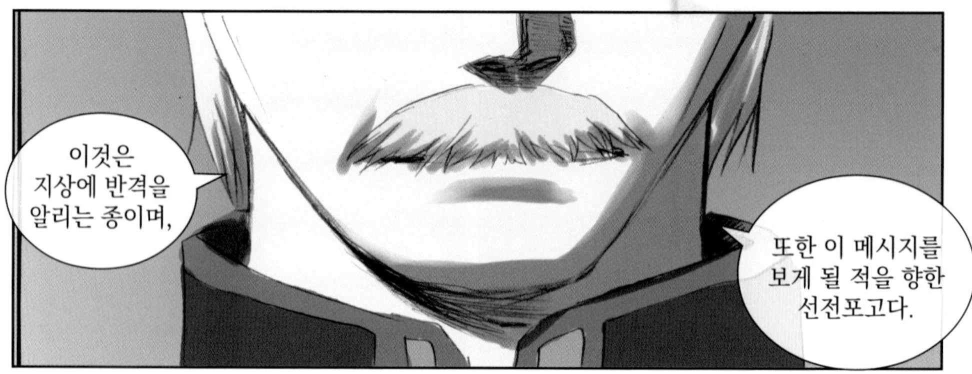
이것은 지상에 반격을 알리는 종이며,
또한 이 메시지를 보게 될 적을 향한 선전포고다.

질량이 워낙 커서
파편 수도 많아.
모두 막진
못할 거야.
적어도 외곽의
플랜트는…

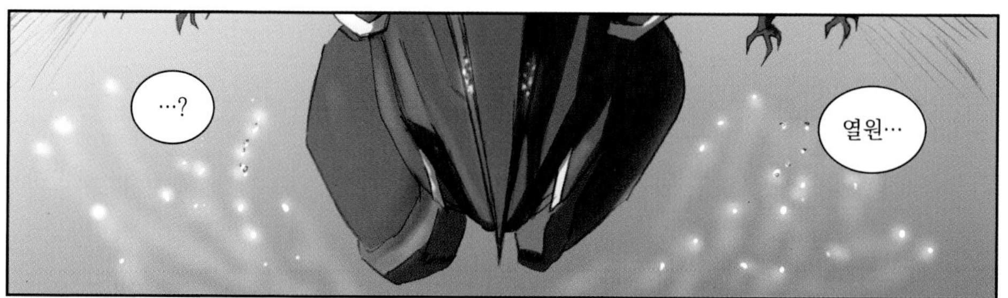
…?
열원…

미사일…
마난급? 저 수는
지금껏 레이더에
안 잡혔는데?

게다가
아래에 있는
저건…

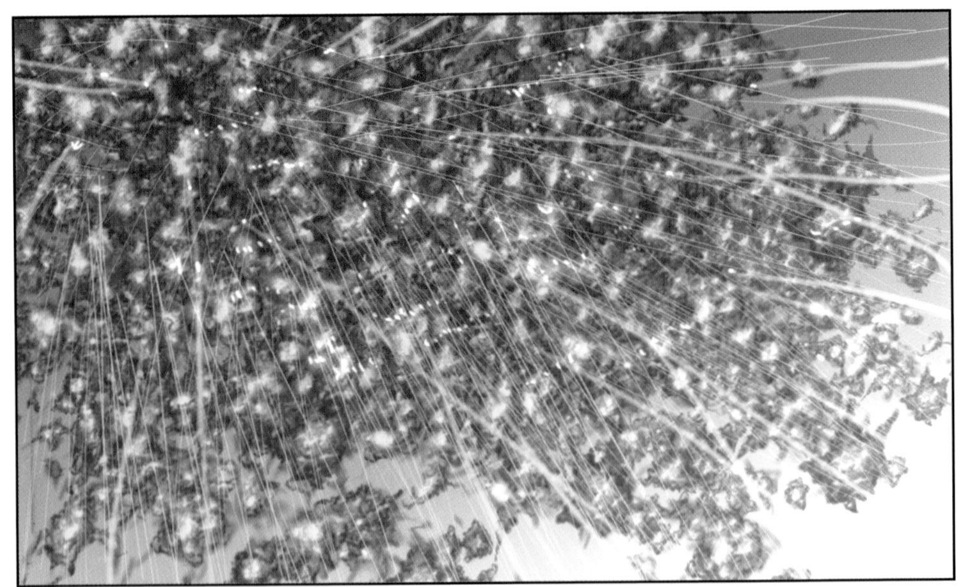

설마…

…제길… 교과서에서만 봤던 게 눈앞에… 이 대규모 공세는 역시…
겨우 몇 주 만에 최종 단계의 꽃이 피었다는 의미…
62년 만에 레벨 10의 개화라…
전천후 침략형 요새 '푸른꽃'
全天候 侵略形 要塞 '靑花'

메시지는 이상입니다.
자일가의 전력 보존 노력이 헛되지는 않았던 모양입니다. 아가씨.
그녀의 귀환, 향후 작전 개요, 우주에서 관측한 전력 분포와 생존에 유리한 지역 정보, 스텔스 통신 유닛 암호 코드.
그러게요 첸, 윤. 우주의 전투로 적의 배치도 혼란스럽네요.
이 자밀기관 내 중계기 플랜은 과거 마이어 씨가 세운 안… 과연 현명하군요.
…결국 그녀가 오나 보네요. 주력군과 기사단의 지원은…
아니…

…드라이는… 오지 않고요.

메이 언니… 괜찮아?
…우리 또… 큰일 나는 거야?

이젠 언니밖에…
우린 괜찮아 란.

내가 없을 땐
앤을 의지해.
마음먹은 일은
반드시 해내는
녀석이니까.
굉장한 사람이
오고 있거든.
앤은…
그녀는…
어째서…
…언니?

…당주…
아니…
메이
아가씨.

미안해요, 첸.
걱정끼쳤나
보네요.

저와 윤이 갑니다.
제가 어떻게 되더라도
첸 당신은 자일가의
명예를 걸고 그녀를
지켜 주세요.
제가 지키고
싶은 건…
항명은
불허합니다.
자일가의 긍지와
의무를 다하세요.

…Yes…

…my lord.
AE도 협력
부탁합니다.
함장님.

그래.
그 아가씨와
나름 인연도
있으니까.

고속함 다수에
신형 플로터 편대.
빠르다!!

제길
파편이나 까대지
왜 우리한테
난리야?!

콰
아
아
5형이
오고 있어.
이 상태에서
상위괴수가
가세하면
끝장이야.
악연인가…
또 저 인간이군.
자일가의 아덴에
합류할 수는
없겠어.

지상 병력까지
협공이다!

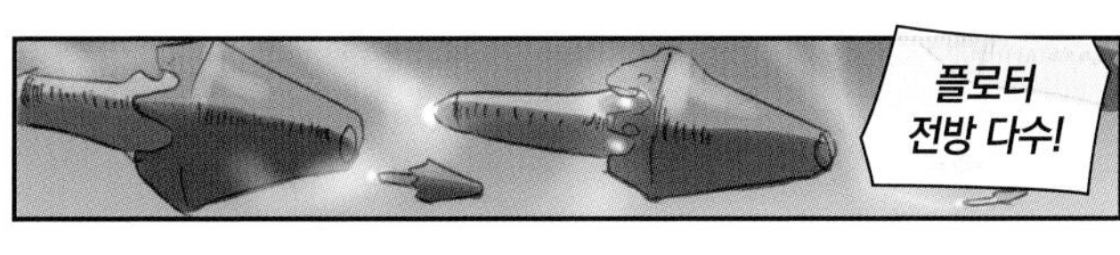
플로터
전방 다수!

긴급
암호통신?

전 바르디아
에이스를
우습게 보지 마!!

차

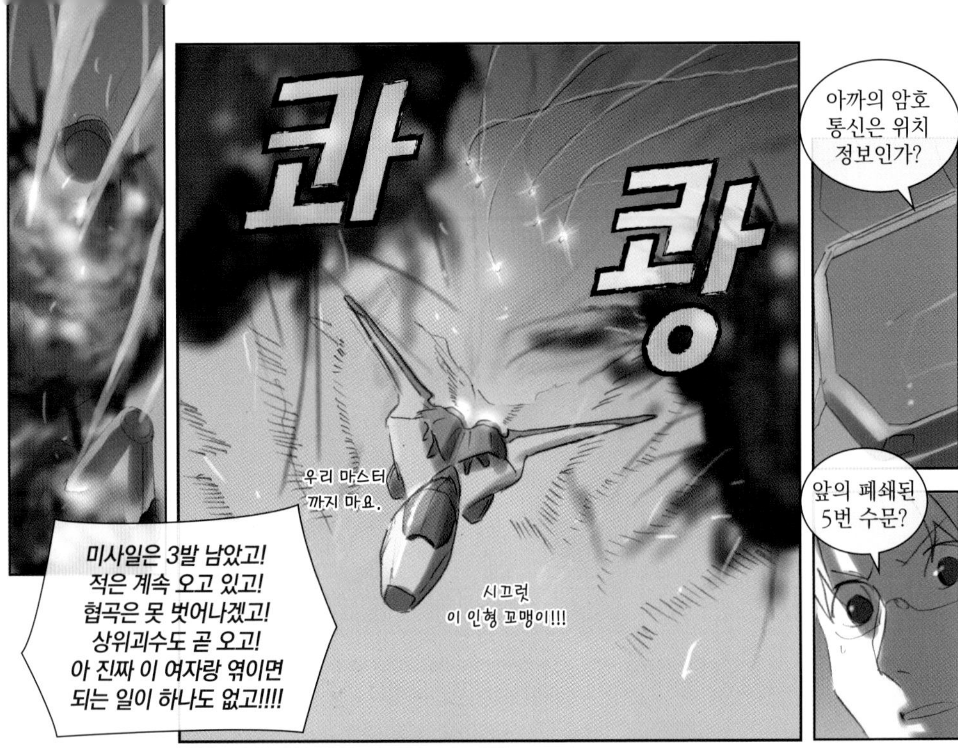
콰
콰
쾅
아까의 암호 통신은 위치 정보인가?
우리 마스터 까지 마요.
시끄럿 이 인형 꼬맹이!!!
미사일은 3발 남았고! 적은 계속 오고 있고! 협곡은 못 벗어나겠고! 상위괴수도 곧 오고! 아 진짜 이 여자랑 엮이면 되는 일이 하나도 없고!!!!
앞의 폐쇄된 5번 수문?
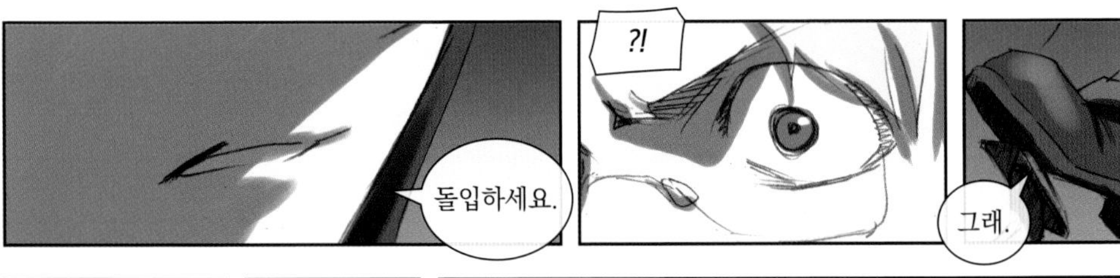
돌입하세요.
?!
그래.

에라 모르겠다!!
쉬익

쾅

수로는
무사해!!!

제가 막겠습니다.
계속 가세요
마이어 씨.
?!

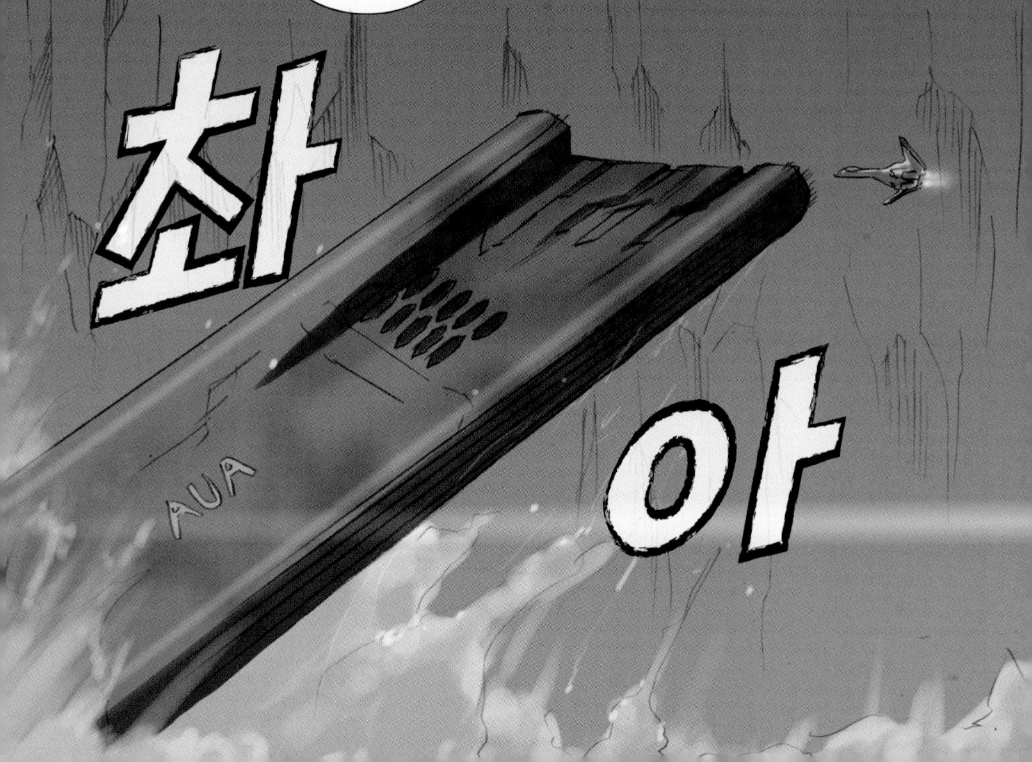
촤아
AUA

앞은 상위괴수와
함대가 있어.
나가면 안 돼!!!

자일가의 장녀
메이 자일.
앤 마이어를 엄호,
시간을 법니다.
통로 끝에서
아크라이더와
합류 후 제5
방위 벙커로
피신하세요.
…메이?!
그래선 안 돼!

저에게
기사단을 지킨다는
자일가의 의무를
내팽개치라는
말입니까?

메이… 자일.

으으… 피난민
대피시키려다
독박 쓰게 생겼군.

1루트는 포기.
3루트로
이동한다.
탈출할 때 쓸
아까운 폭약이
이런 데서
날아가는구나.

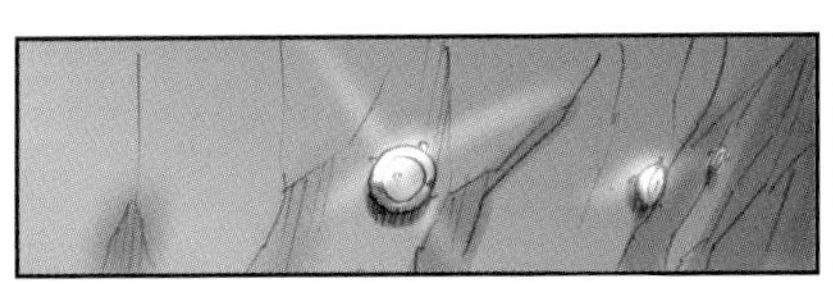

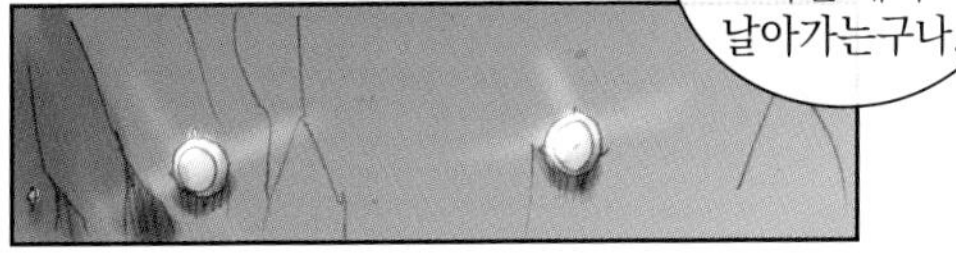

콰
앙

전 미사일
해치 개방.
콰
아텐 부상.
아

자일의
명예와 운명은
이 선택을
따를지니

퍼
엉

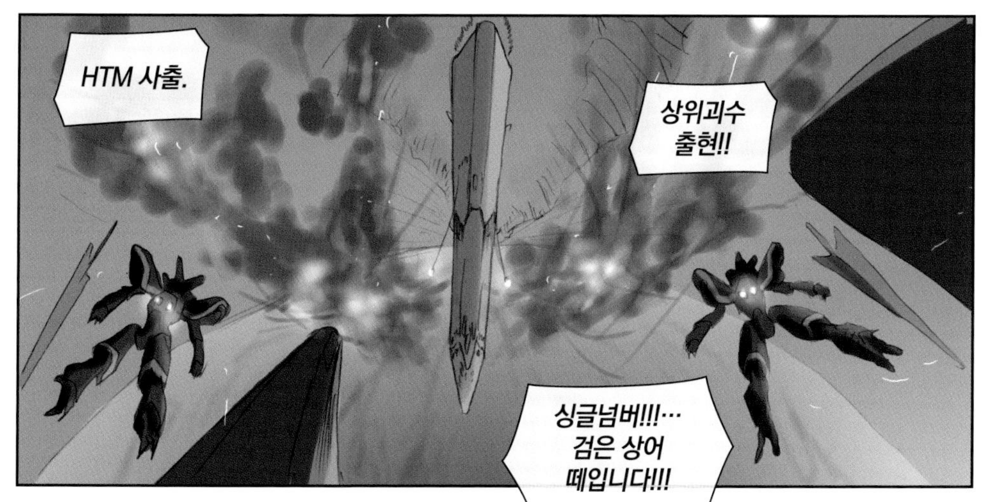
HTM 사출.
상위괴수
출현!!
싱글넘버!!!…
검은 상어
떼입니다!!!

옵니다!!!

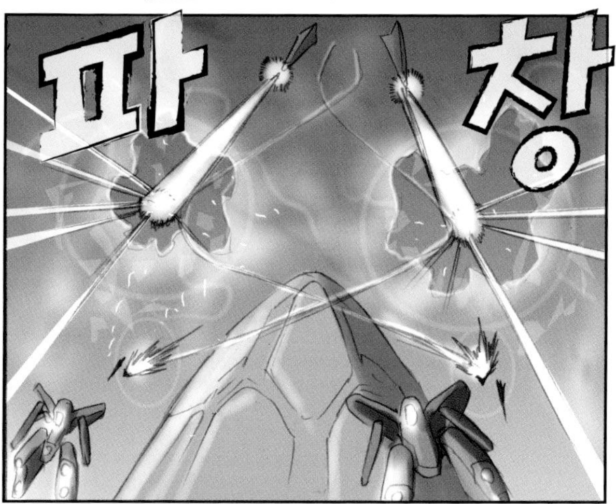
파
창

촤
악

검은 상어 떼는
제5사령부와 9함대를
박살 내고 기사 수십 명을
죽인 네임드예요!!!
중앙 라만보고서
레벨 기준 준영식급에
한 마리도 아니고요!!

적이 아무리
강해도 이 뜻은
꺾지 못하리라.
해치 오픈.

함께
하겠습니다
아가씨.

고마워요.

특무 강화부대
아크메이지와
기사 윤…
그리고…

드라이 오빠…
나 오빠랑
결혼할 거래.
아직도
이불에 쉬하는
꼬맹이가 무슨…
다 크면 그때
이야기하자.
펄럭
현 중앙단장
메이 자일.

적에게 맞섭니다.

바다로
통하는 건가?!!
잠항은
가능해도
수중전투는
무리인데…
제기랄!!!
첨벙
에라 모르겠다가
벌써 몇 번째야!!!
여기는 AE 특수전함
아크라이더.

오랜만입니다.
앤 마이어 기사님.

많이
성장하셨군요.
지금부터
기사님을
모시겠습니다.
NAVY

part 41. 귀환 |끝|

part 42

지금 오신 분들은
이쪽에서 신상을
등록해 주세요.

이 정도의
전력을 보존하고
있었다니…
대부분 묘지항의
퇴역함들이라
적의 첫 공격 목표가
아니었을 뿐…
제대로 된 함은
아덴과 아크라이더
정도예요.

이곳은
자일가와 AE가
독자적으로 건설을
진행하던 해저
기지라서
중앙과는 분리된
시스템이기 때문에
현재 유일한 피난처로
살아남을 수 있었죠.
다만 아직 미완성이라
주거지원시설이 부족하고
기지의 스텔스 기능도
아크라이더 엔진 없이는
장시간 유지가 어려운
상황입니다.

괴수에게
위치가 노출되는 건
시간문제이고
그렇게 되면
전혀 방도가
없죠.
그래서 당신이
꼭 필요합니다.
이제는 전쟁을
끝내야 하니까요.

아직
이렇게 많은
사람들이…

정말로
내려왔어…
앤 마이어다.

지원군도 아니고
고작 한 사람인데
웬 호들갑이야?
바보.
마이어라고
앤 마이어.
중앙의
앤 마이어?

일어나 보세요.
기사가 왔어요.

벨치스의
그 기사?

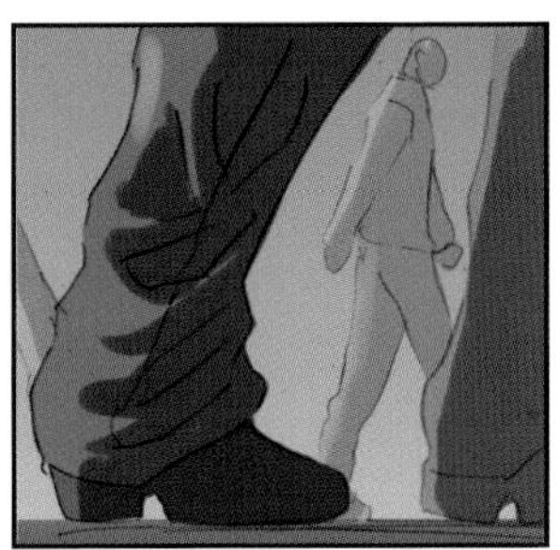

정말이야?
타지아와
오코넬리전의
영웅이잖아!
좀 비켜봐!
이쪽으로 오시면
안 됩니다!

당신의
등장으로
모두 술렁이고
있군요.

적어도 아린에서
당신을 모르는 사람은
없을 겁니다.

여러 가지로
힘드시겠지만…

이 절망적인 상황에서
사람들이 다시 일어서려면
희망이 필요합니다.
그러니…

웃어 주세요.

가족도 동료도
모두 잃고
이젠 일어설
기력조차 없는
이들을 위해…

기사님! 저 기억하세요?
오코넬리에서 같이 싸웠던
사일러입니다!!!

나보고 웃으라고?
이런 일을 벌인 건
……

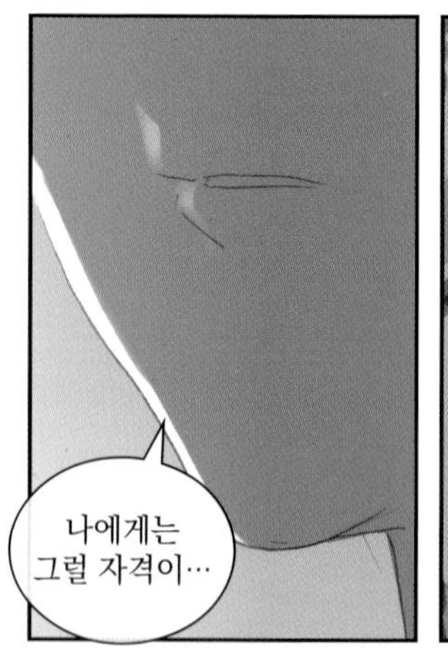
나에게는
그럴 자격이…

자격 따위
엿 먹으라죠.
중요한 건
당신의 '존재'
입니다.
자일가의 아가씨도
군 장성도 대신할 수
없는 역할…
저들에게 당신은
수많은 역경을 딛고
일어선 실존하는
영웅이에요.

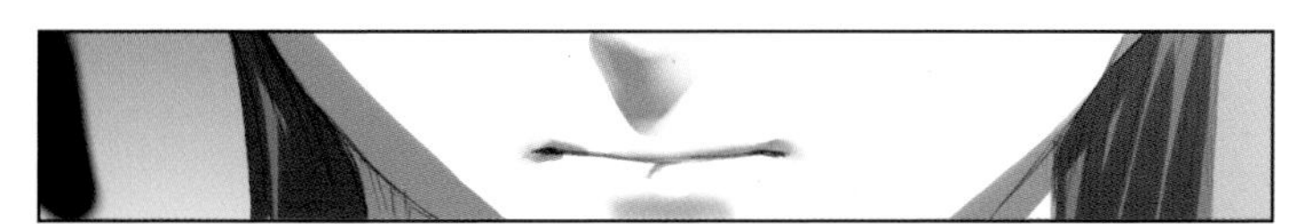

비켜봐
진짜 왔어!!
마이어라고!!
살 수
있는 거야
우리?
크로스아이까지
해치웠다는
그 영웅이잖아!!

앞으로도
절망적인 상황은
찾아올 겁니다.
지금 사람들의
마음이 꺽이면
아무도
살아남을 수
없을 겁니다.

콰
앙
자일 양은
기지를 숨기기 위해
수로를 봉쇄하고
당신이 도착할 때까지
시간을 벌었습니다.
그게 무엇을
의미하는지는
아시겠죠.

아가씨!!!!!

멈추면
안 돼요!!!!!

마스터피스 15번 검 개방

'Green Ring'

웅
?!

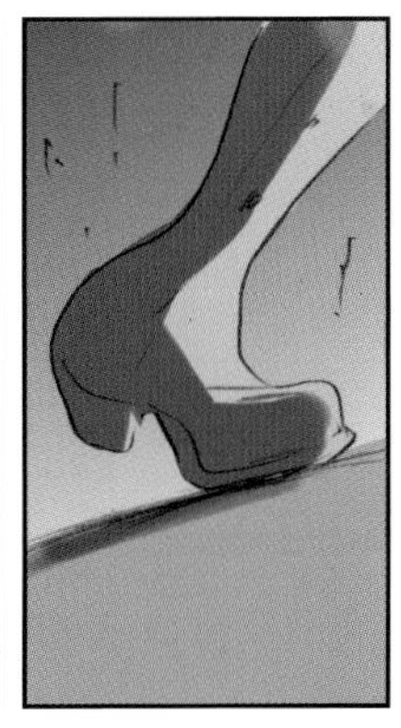

기사 둘이서
아크메이지의 희생 끝에
마스터피스까지 동원해서
겨우 5형 1기를 잡았군요.
적은 강하고…
전 이 전쟁에서
이길 수 없어요.
하지만
그녀라면…

함께 싸워 줘서
고마워요 윤.

아니요.
아직 포기하긴
이릅니다.
그리고 아가씨는
살아야 합니다.

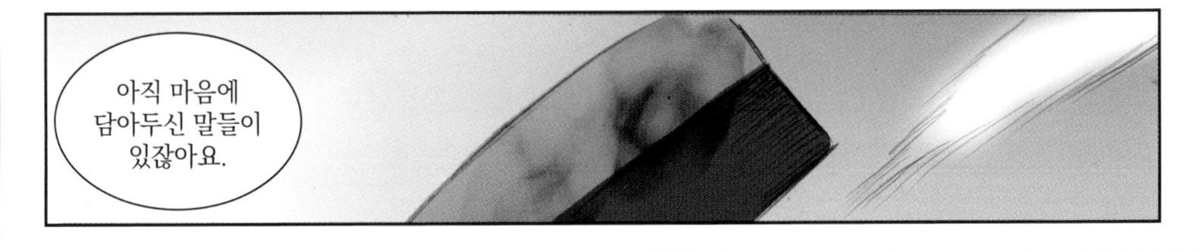
아직 마음에
담아두신 말들이
있잖아요.

괴수에게
들키기 전에
생존자만 끌고 와!!!

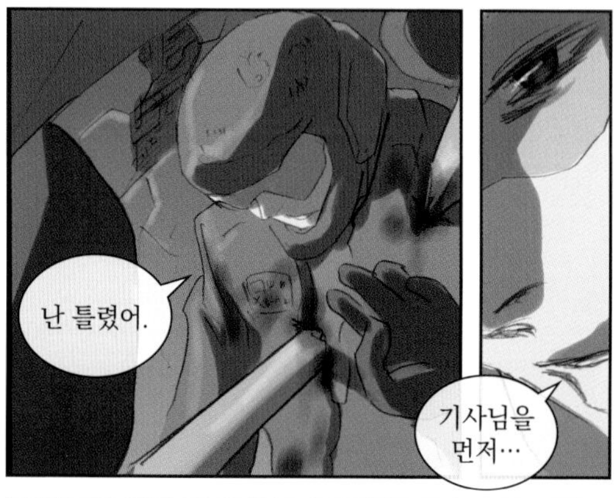
난 틀렸어.
기사님을
먼저…

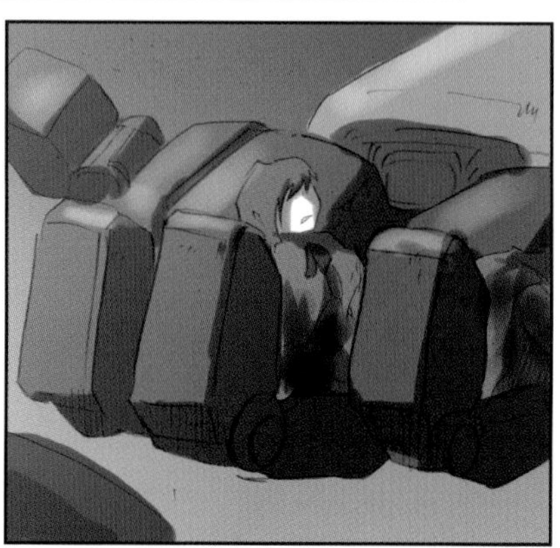

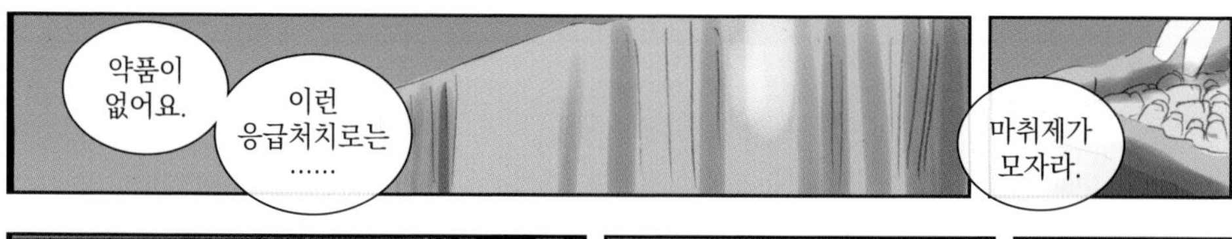
약품이
없어요.
이런
응급처치로는
……
마취제가
모자라.

…닥터!!
치익

남은 건
모르핀뿐이야.
이걸로라도 편하게
해줄 수밖에…

마…이어…
씨를…
어이,
부른다.

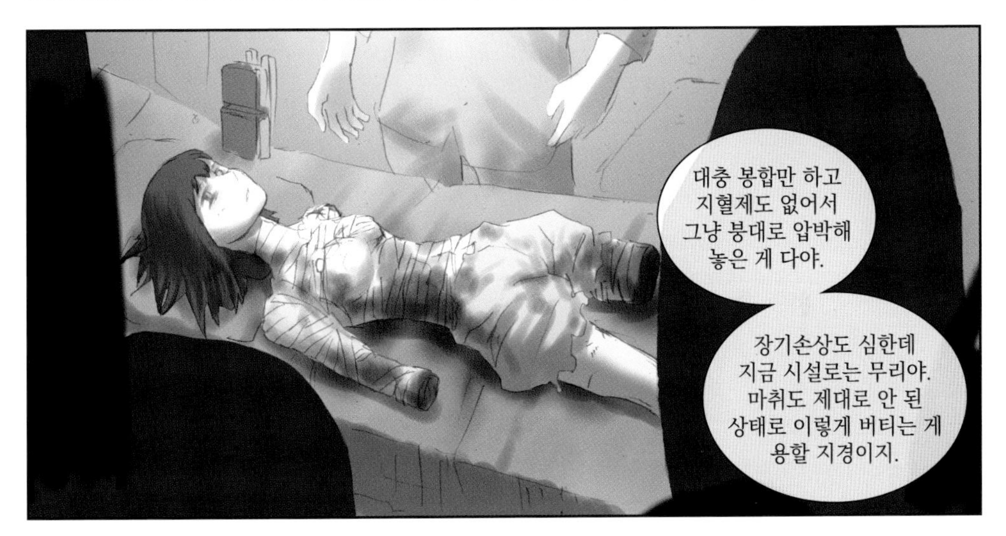
대충 봉합만 하고
지혈제도 없어서
그냥 붕대로 압박해
놓은 게 다야.
장기손상도 심한데
지금 시설로는 무리야.
마취도 제대로 안 된
상태로 이렇게 버티는 게
용할 지경이지.

윤…은?

오른팔은
남았더군.
닥터!
죄송합니다
기사님.

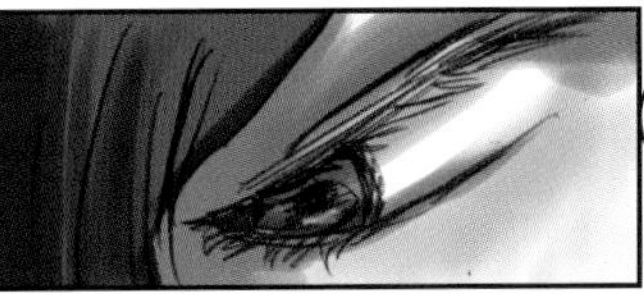

마이어 씨.

그래…

얄궂네요.
제 마지막을
지켜보는 게
당신이라니…

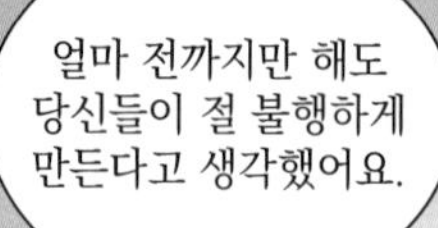

프레이 씨가
벌인 일 때문에
당신이 북부로
가버린 것도

내심 잘 됐다고
생각했죠.

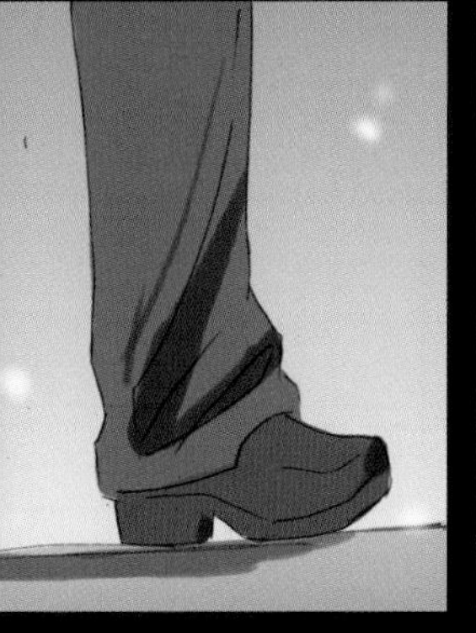

덕분에 그가
중앙에
올 때마다…

저를 만나기
위해 온 건지

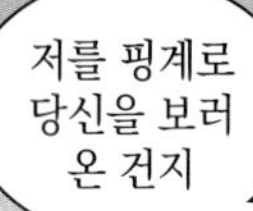

저를 핑계로
당신을 보러
온 건지
의심할 필요가
없어졌으니까요.

가문이나
대의보다도…
언제나 그런 것만
생각했어요.

바보죠
저?
그래서…
벌받았나 봐요.
언니야…

…미안해요
마이어 씨.
이 말을…
전하고 싶었어요.

부디 저 대신
여기 있는 사람들을
구해 주시길…

심박 정지.

뇌가 손상되기 전에
바로 냉동 절차에
들어간다.

왜 모두 나에게…
도대체 내가
뭐라고…

언니야!!!!!

내가 짊어져야 하는 짐은
그 녀석만으로도 벅찬데…

너무 무거워…

난…

part 42. 메이 자일 |끝|

part 43

Knight Run

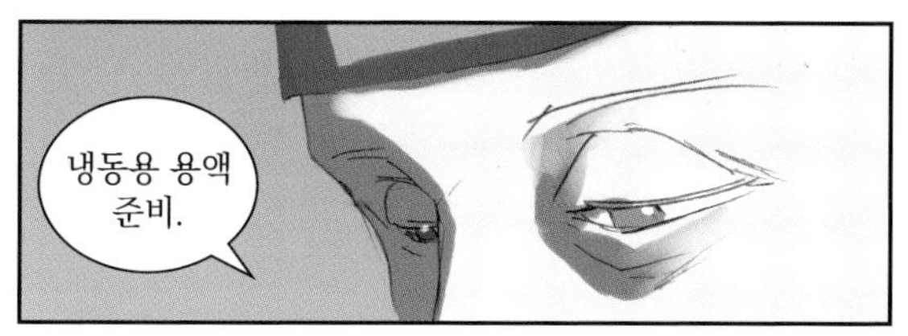
냉동용 용액
준비.

손상방지액
최대량 투여.

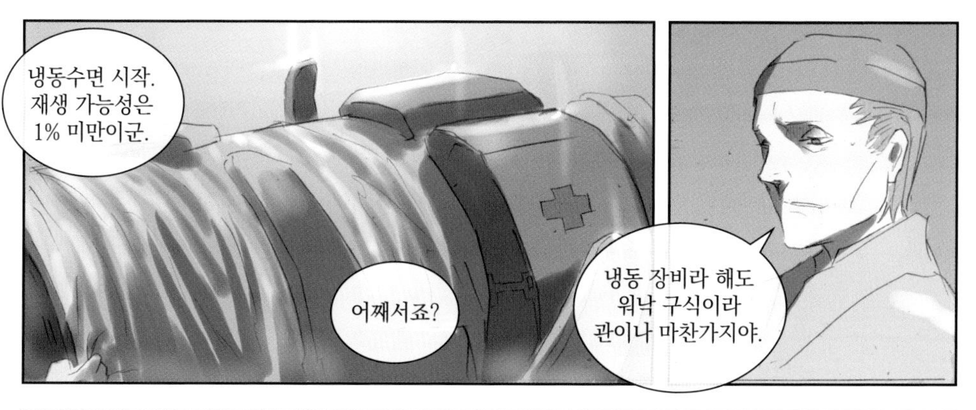
냉동수면 시작.
재생 가능성은
1% 미만이군.
어째서죠?
냉동 장비라 해도
워낙 구식이라
관이나 마찬가지야.

아크라이더가
보내 주는 전력만으로
기능을 유지하는 건
모레쯤이 한계요.
탐지될 위험 때문에
구형 발전기도
못 켜고…
생존자가 우선이니
그땐 장비의 전원을
꺼야겠지.

어차피
관 대신이요.
저기 보세요.
이미 죽은 사람
취급이라고.

중요 인물이라
절차를 갖췄지만…
그냥 사망한 거라
생각하세요.
뭐 늘 있는 일이니
익숙하시겠죠.

들켰다! 서둘러!! 강화골격 타입이다.
두
두
투

집중사격!!
두
두
비행 유닛이 오기 전에 뜨지 않으면 전멸이다!

지원 사격 바람!
아까 뚫고 오면서 피탄 당해 저열기관 작동이 불량하다!
적이 추격할 위험이 있으니 계곡으로 통하는 루트 C를 이용한다!

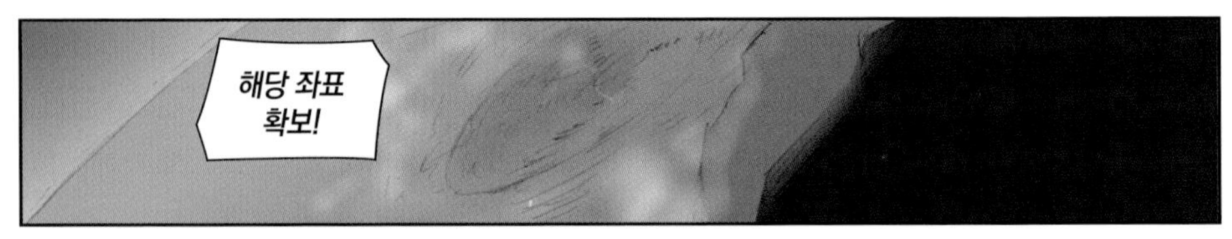
해당 좌표 확보!

서둘러 이동한다.
얼른 회수하고 가자고!

육안으로 확인.
너무 깊이 있어. 회수 작업 서둘러!!

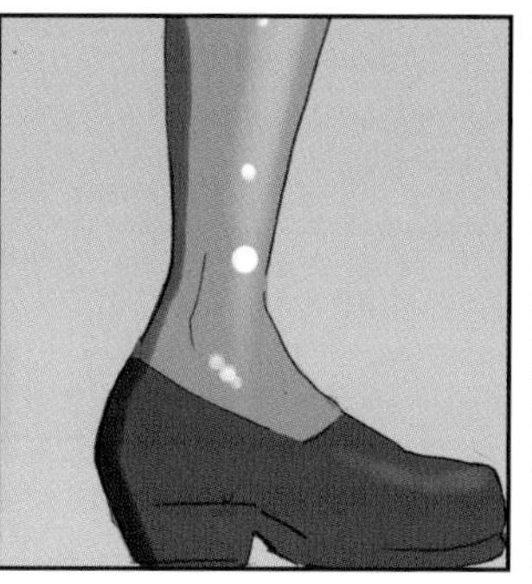

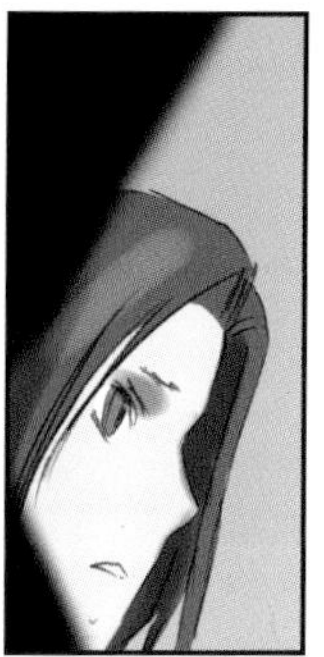

앤에게서
물려받았어.
나에겐
과분한
검이지만…
친구가
준 거니까.

넌…
자랑스러운
내 친구야.

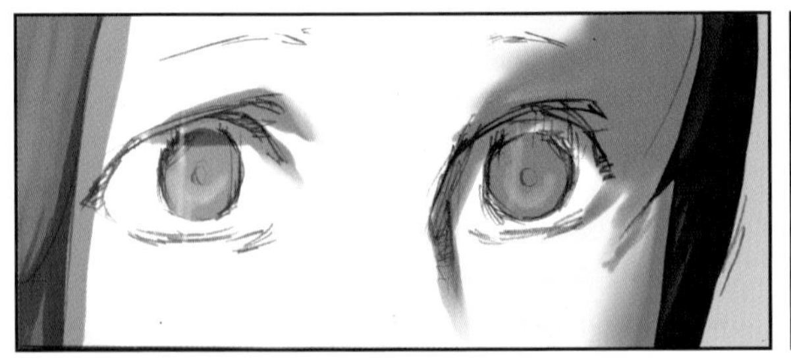

턱

주륵

내가… 누굴 지킬 수 있다는 거지?

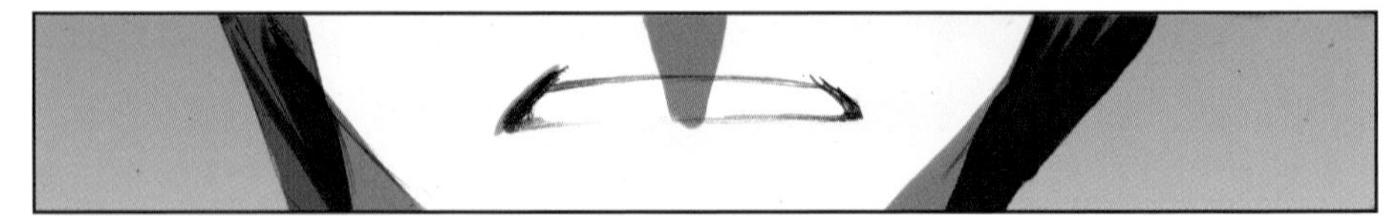

콱

쿵

지금
뭐 하시는
겁니까?
질질 짜려거든
저 구석에 가서
하시든가.

한심한 꼴 보이지
말란 말입니다.

모두가 당신에게
기대고 있는데 혼자
주저앉으면 어쩌자는
겁니까?

나도… 여기
그 누구도 주저앉고
싶지 않은 사람은
없습니다.
그럼에도
우리 아가씨가
죽음을 불사하고
붙들어온 희망을
…

그토록 쉽게
져버리지 말아
달라고요.

모두가…

살 수 있다는 희망.

하지만
부탁이야…
모두를…
지켜 줘…
미안해요.
마이어 씨.
부디 저 대신
여기 있는
사람들을…

이젠…
내가 지켜야 할 사람들…

기사님
괴롭히지 마요.

…그렇군.

…제가 가장
꼴불견이네요.

내가…

희망…

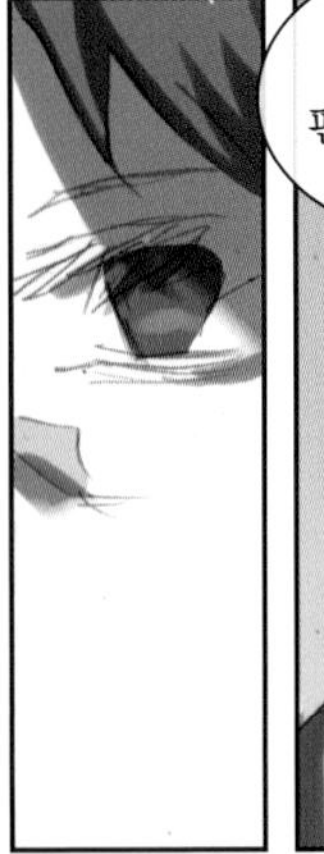

고마워.
편들어 줘서.

기사님 여기서
봤어요…

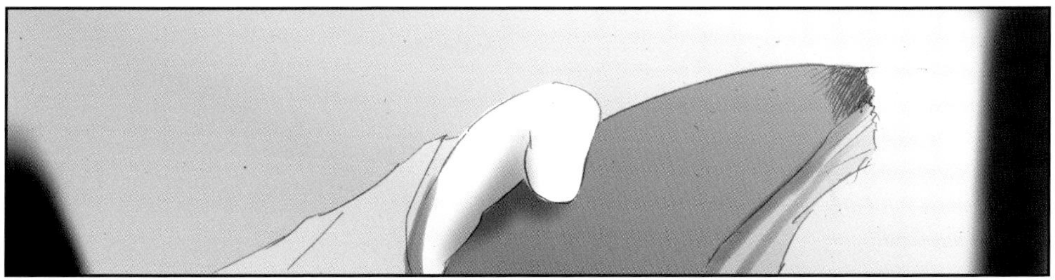

Knigh
2

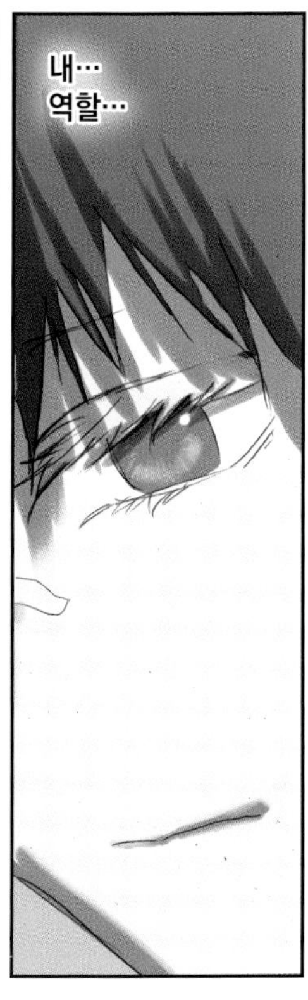
내…
역할…

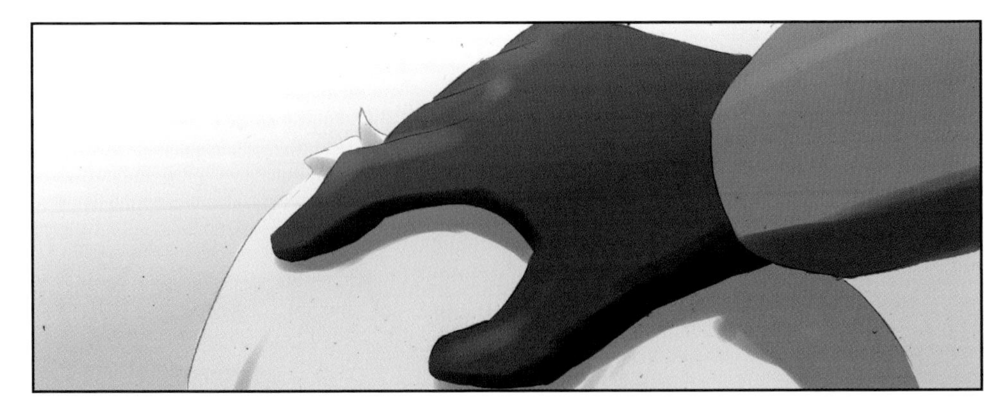

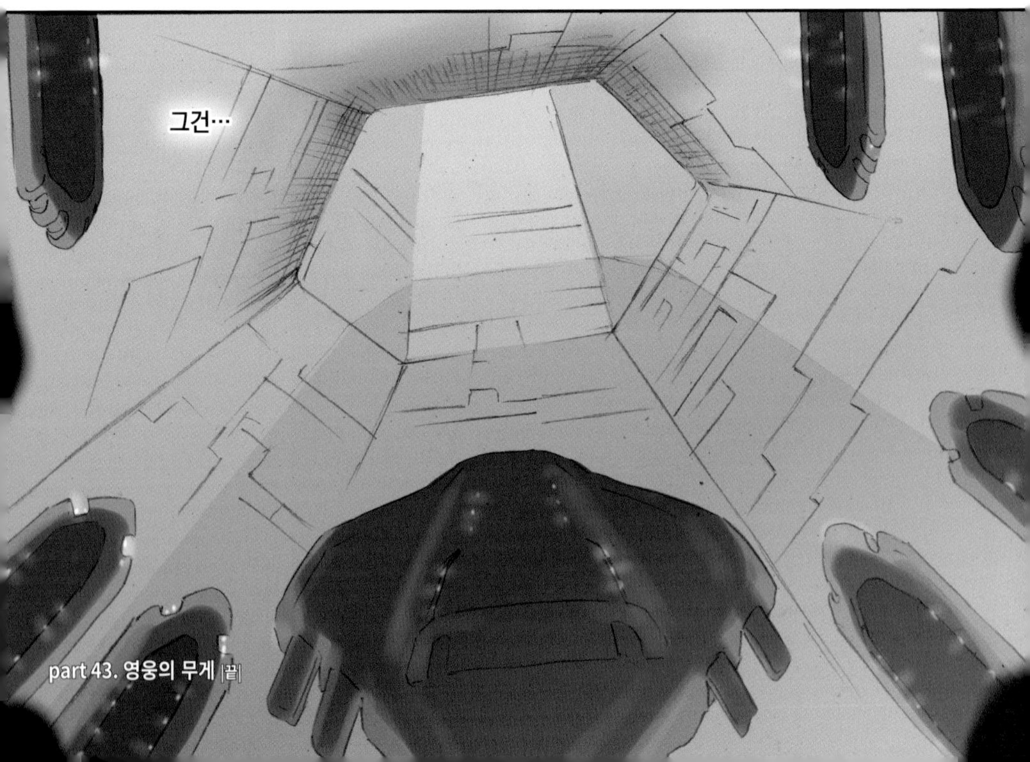

part 43. 영웅의 무게 [끝]

part 44

Knight
RUN

그래.

나는 싸워야만 한다.

누구와?

잃은 사람들…
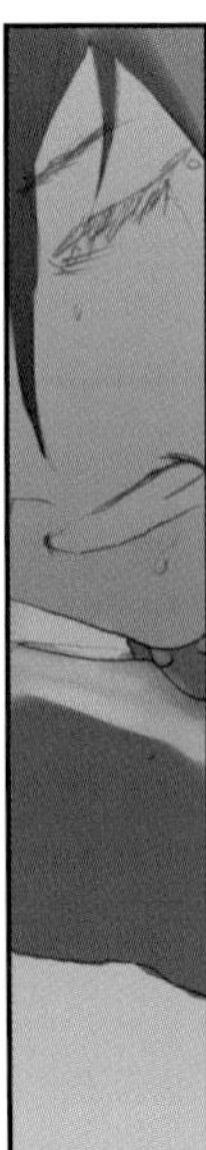

누가… 빼앗았지?
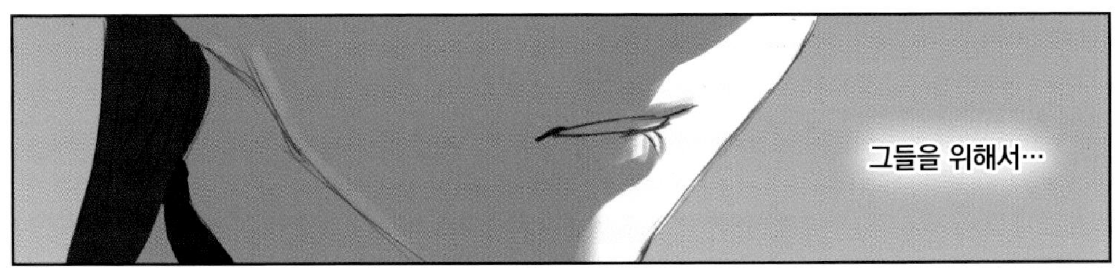
그들을 위해서…

내가…
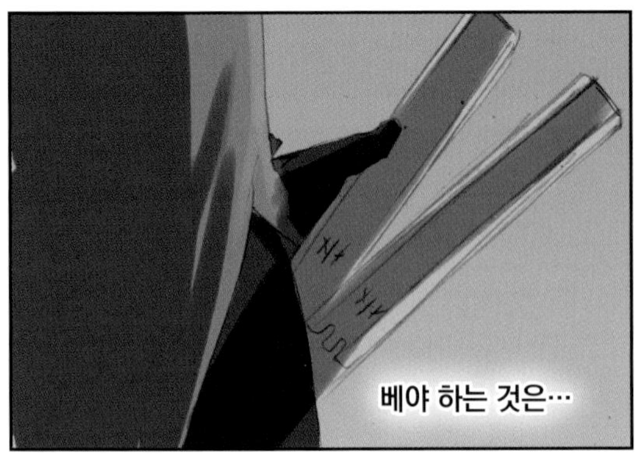
베야 하는 것은…
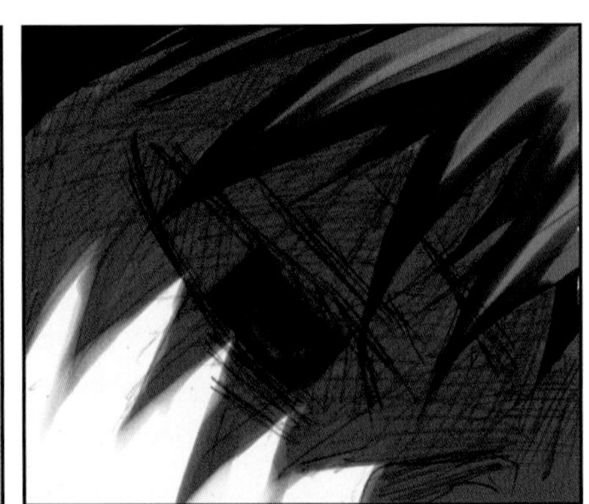

너무 자신을
몰아세우지
마세요.

그렇게
짐만 지다가
몸도 마음도 완전히
무너질까 봐

무서워요.

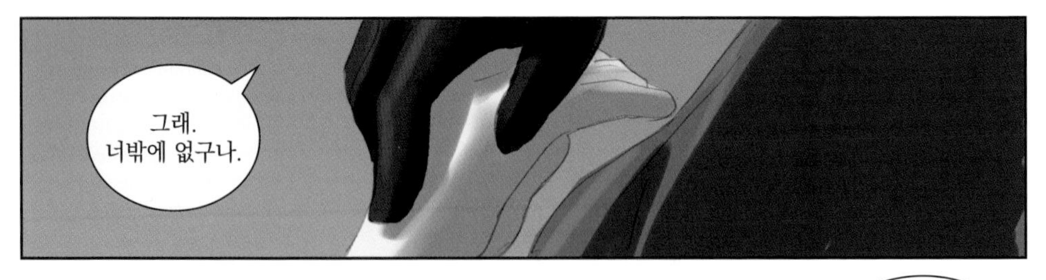
그래.
너밖에 없구나.

그런데
짐이란 게
지고 싶다고 지고
지기 싫다고
내려놓을 수
있는 게
아니더라고…

하지만
네가 지금처럼
따듯한 마음씨로
내 손을 계속
잡아 준다면
나도 버틸 수
있겠는걸?

마스터의 손…
따뜻해요.

그 말
그 녀석도 자주
했는데…

누군데요?
…
눈치가
빠른 편은
아니군.

우리들의 적.
예?
…아니야
아무것도.
그보다 곧
크리스마스네…

...
너무 많아요.

기사님치고
적게 먹는 사람
못 봤어요.
메이 님도
이 두 배는
드셨는걸요.

...

이제 이 행성에는
꽃 한 송이 피지
않아서요.
적의 색적 범위가
넓어지니 이곳도
곧 포기해야 할 거고
그 전에…

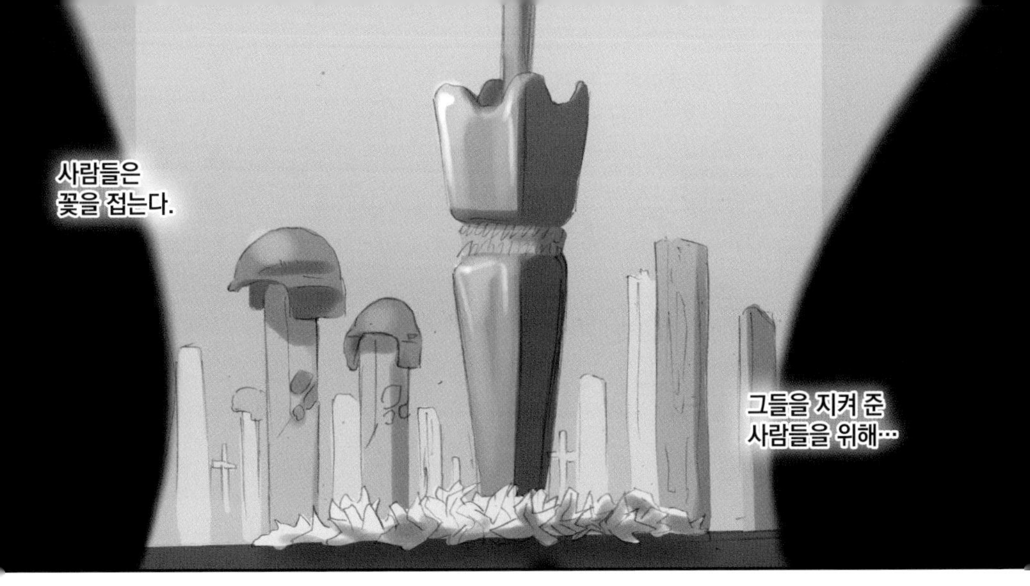
사람들은
꽃을 접는다.
그들을 지켜 준
사람들을 위해…

그리고…
지켜 줄 사람을 위해.

언니가
기사님은 아주
강해서 우릴 모두
구해 줄 거랬어요.

정말…
구해 주실 수
있나요?

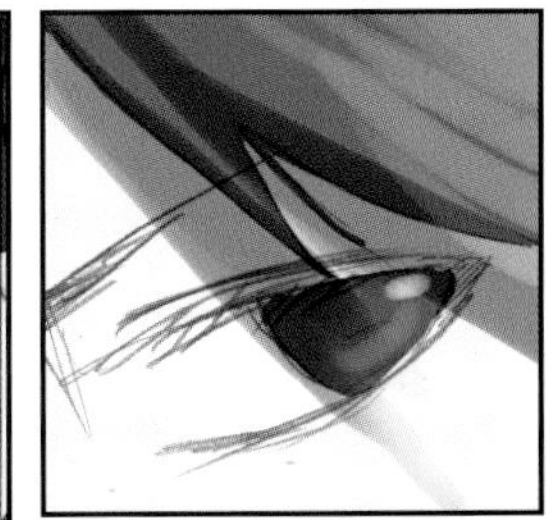

한 송이면
충분해.

내 목숨을 걸고
맹세할게.

여기 있는
모두를 위해…

그리고
어머니를 지키고자
목숨 다해 나를
지켜 준 자랑스러운
친구를 위해…

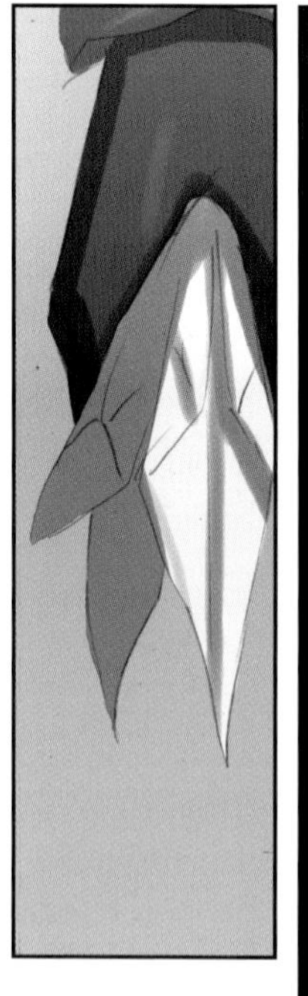

다녀올게요…

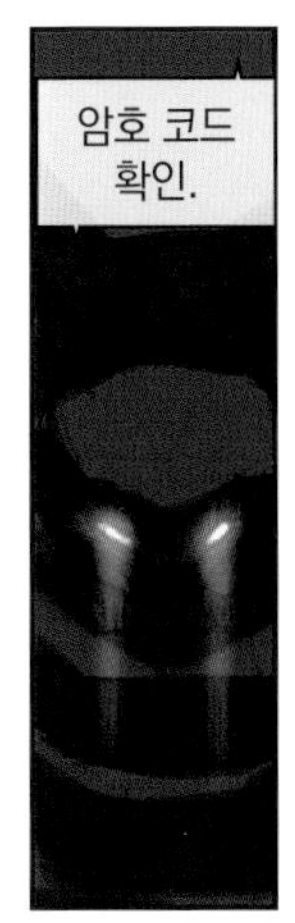
암호 코드
확인.

돌로레스
1, 2, 3, 4
사출.
촤

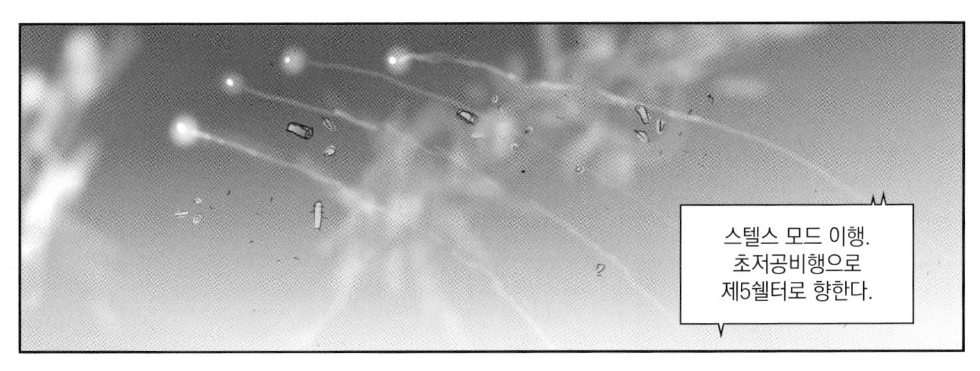
스텔스 모드 이행.
초저공비행으로
제5쉘터로 향한다.

쳇.

저건 단순한
정찰기가 아니야.
고도의 지능으로
지형 간의 위화감을
분석, 적 기지를
탐지하는 녀석이다.
…들키지 않기를
바랄 수밖에
없겠군.

타 영식과는
격이 다를 정도로
강한 2기의 영식.
그리고 약
100기에 달하는
상위괴수.
벨치스전을
겪은 기사님이
보기엔 많지 않을
수 있지만
높은 수준의
지능, 기술, 전술로
타 상위괴수와는
비교도 안 될 정도로
강력해요.

중앙의 각종
기밀과
인간의 전술까지
활용하는
괴수라니…
특히
여왕을 지키는
까까머리나
상어 대가리는
마치 영식을
상대하는 것
같았어요.

그리고
푸른꽃.

책에서나 본
최후의 침략 요새.
정체가
드러나지 않도록
굳이 가디언 아래
중력권에서
건설했어요.

이제 조금만
늦으면 인간은
최악의 상황을
맞이할 겁니다.
되든 말든
덤벼야 할 때죠.
몇 기지?
불가시 위성으로
확인한 바로는
완성 1기, 2기
건설 중.
하지만
더 있을 수도
있겠죠.

그게 다 올라가면
우리는 다시 한번
대전쟁의 시대에
접어들고 말 겁니다.

1기는 이미
우주로 향했고
제1영식 피어가
호위 중입니다.
그 흰 녀석
말이군.
적은 지상보다
우주에 집중하고 있어요.
그 덕에 우리가
살아 있는 거지만요.

다행인지 불행인지
우리는 대부분 해군과
지상군이고 전면전보다
기습침투작전을 위한
장비가 많아요.
둥지에 돌입해서
수많은 상위괴수를
상대할 수 있는 인간이
존재한다면 나름 의미가
있을 수 있는 전력이죠.

…
루트는?
몇 개의 트릭은
준비해 놓았어요.
통한다면 짧은 시간이나마
특정 루트를 확보할 수
있다는 계산입니다.

물론 기사님이
아직 드러내지 않은
전력까지 동원했을
경우입니다.
…

극지의
바닷속…
기사단과 AE 몰래
AUA 일부와 기사님의
PPP가 진행하던
공동 프로젝트…

기계들의 사회던가요?
그걸 위해 극지의 자원을
이용해 스스로 개발, 생산을
진행하는 무인자율전투
시스템 시설이 존재하고…
거기서 C급이 넘는
노심기가 생성되고
있다죠?
잘도
아는군.

하지만
아직 이해가
안 되는 건…
해저 광산을
이용한 소규모
연구 시설 하나 믿고
여기 올 리는
없다는 겁니다.

이 지독한
상황이라면 위에선
아린 탈환을 포기하고
괴수를 제압하는 결정을
내리는 게 맞을 것
같은데…
아닌가요?

여기에 오신
진짜 이유가
뭐죠?
…당신과는
상관없는
문제입니다.

구해야 한다는
신념밖에 없었던
그때와는 다르게
불안해 보여요.
무슨 죄인이라도
된 것마냥…
죄인…
맞는 말일지도…

괜찮은
비유네요.

…

가끔 보게 돼.
뭔가에 홀린 듯
자기 목숨 따위
어찌 되든 좋다는
식의 태도…

보통
그런 녀석들은
실제로 금방
죽어 버리더군.

사정은 잘
모르겠지만…

저 기사님을
무사히 살려서
돌려보내고
싶다면

네가 잘
지켜 줘라.
알았지
인형 아가씨?

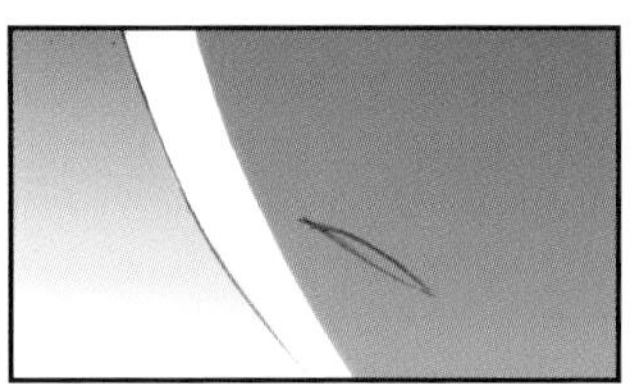

응.
걱정 마
아저씨.

토르 공방의 제품은
고객을 실망시키지
않는 게 모토야.

그거 좋군.

소령님!!!!

결국 왔군.
조금만 더 늦게 왔으면 했건만…
괴수가 침입했습니다 !!!!!!!!!!!!

콰
장갑판 뚫렸습니다. 기지 침입.

불명 상위괴수 1기와 D형 강화장갑 타입의 핑 부대입니다.

바바바바

웅
펑
콰

기지 코드 확인.
진입 허가.

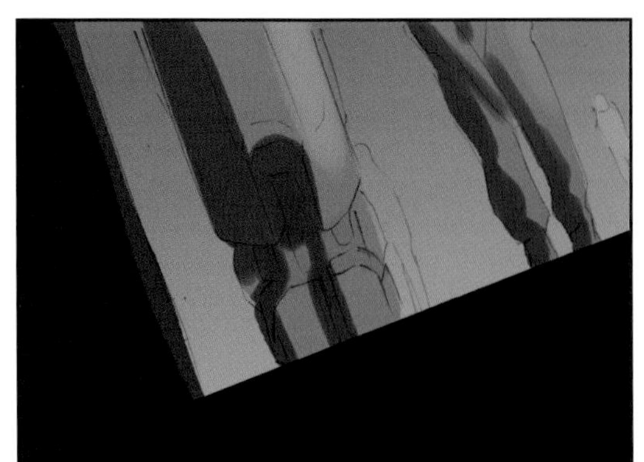

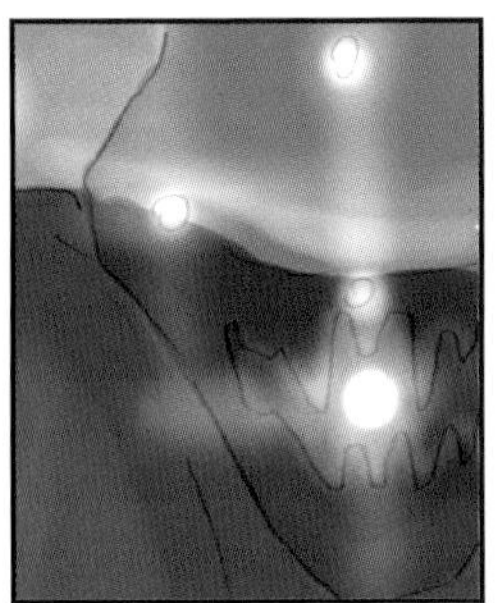

콰앙
?!
쏴.
바아아아

두
파
파

콰

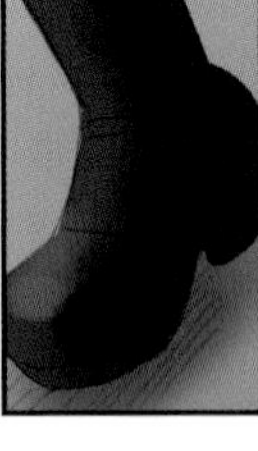

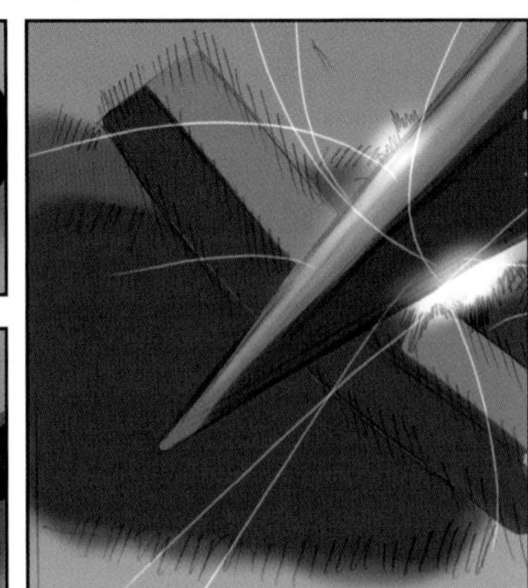

까
아앙

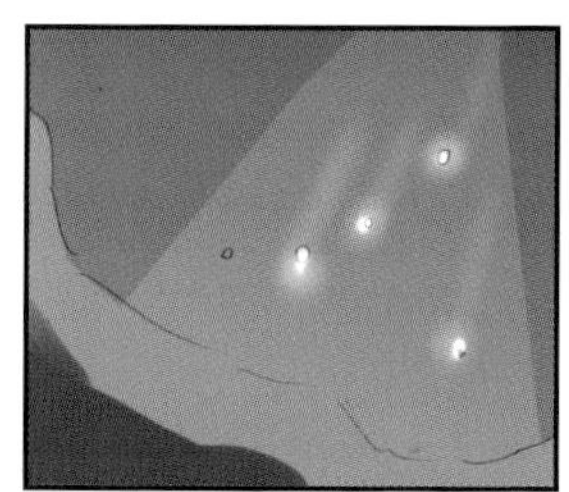

돌로레스 전기
D-랜서 어택.

?!?!

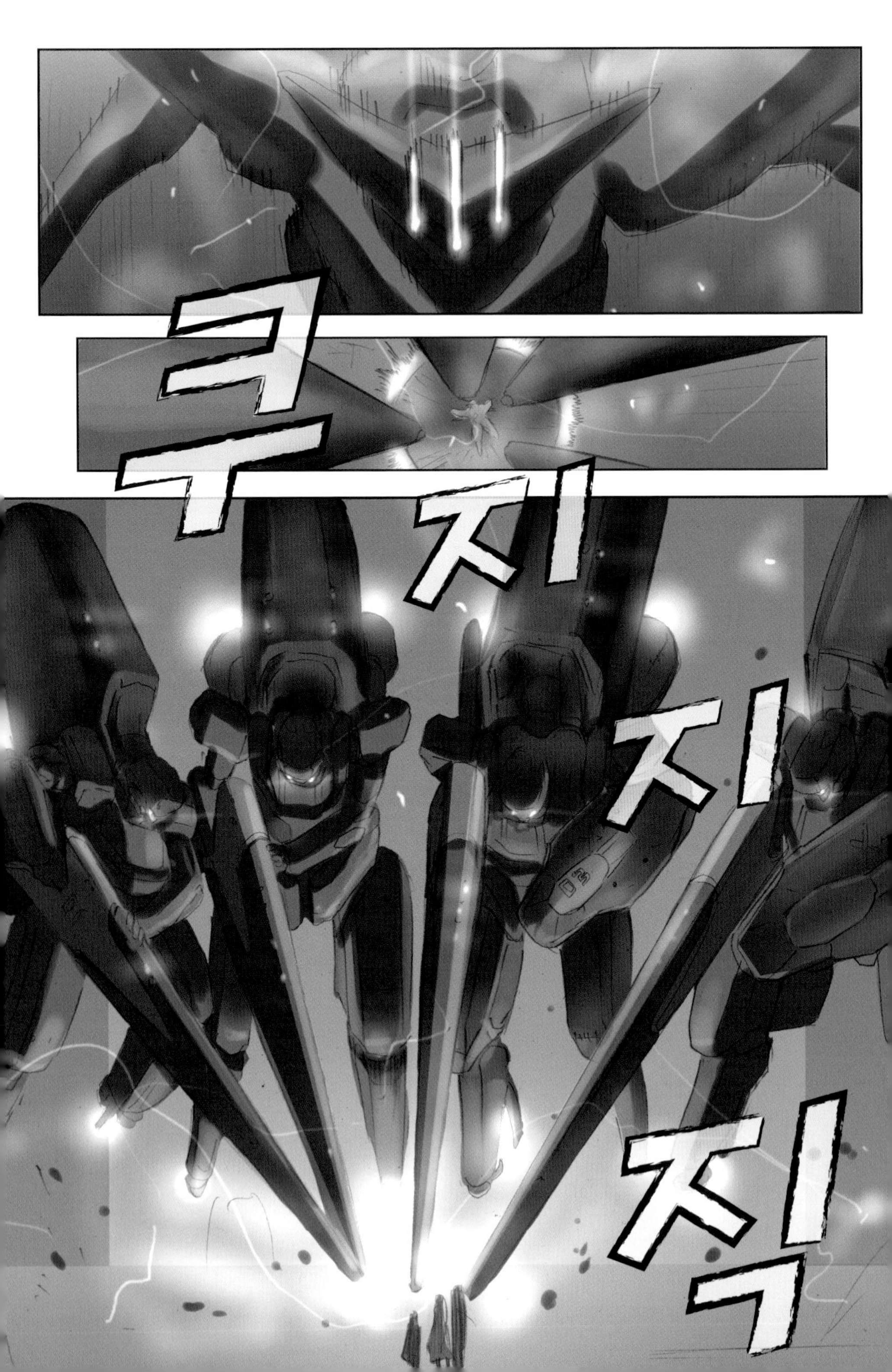
쿠
지
지
직

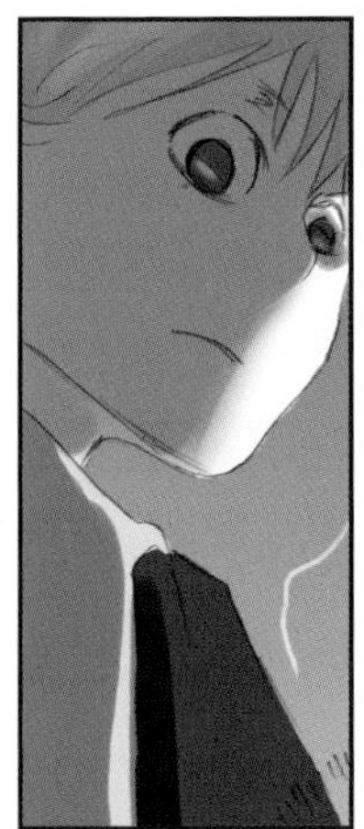

쿠직

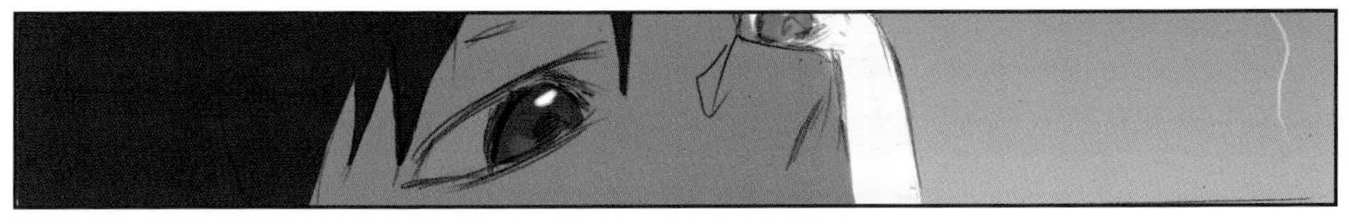

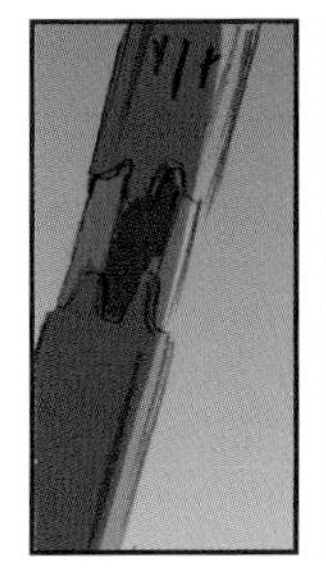

차악

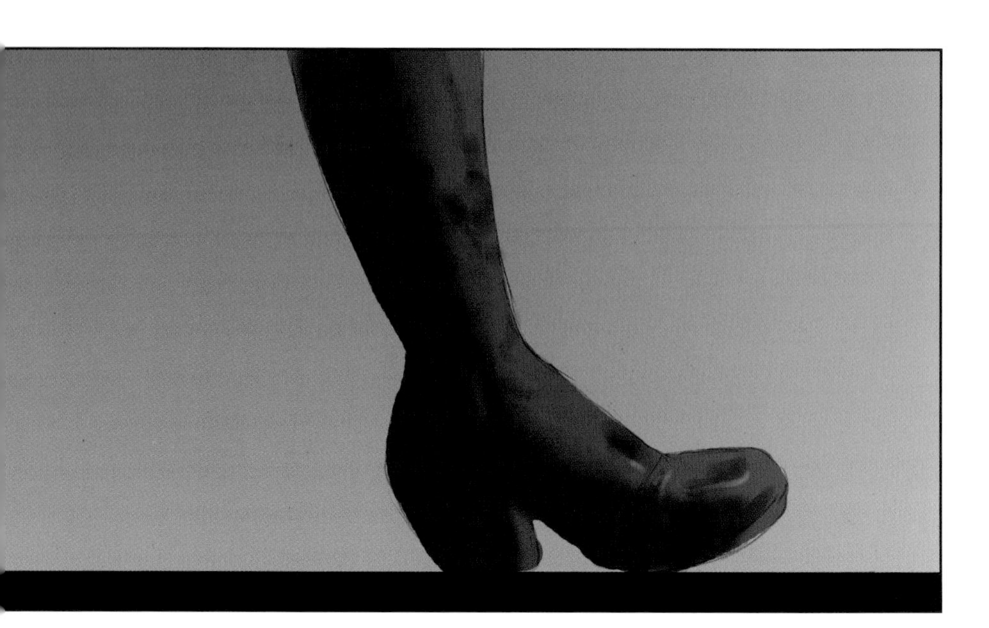

AUA 특수기갑강화병
부대 켈베로스.
지금부터 대령님을
모십니다.

part 44. 꽃의 맹세 [끝]

part 45

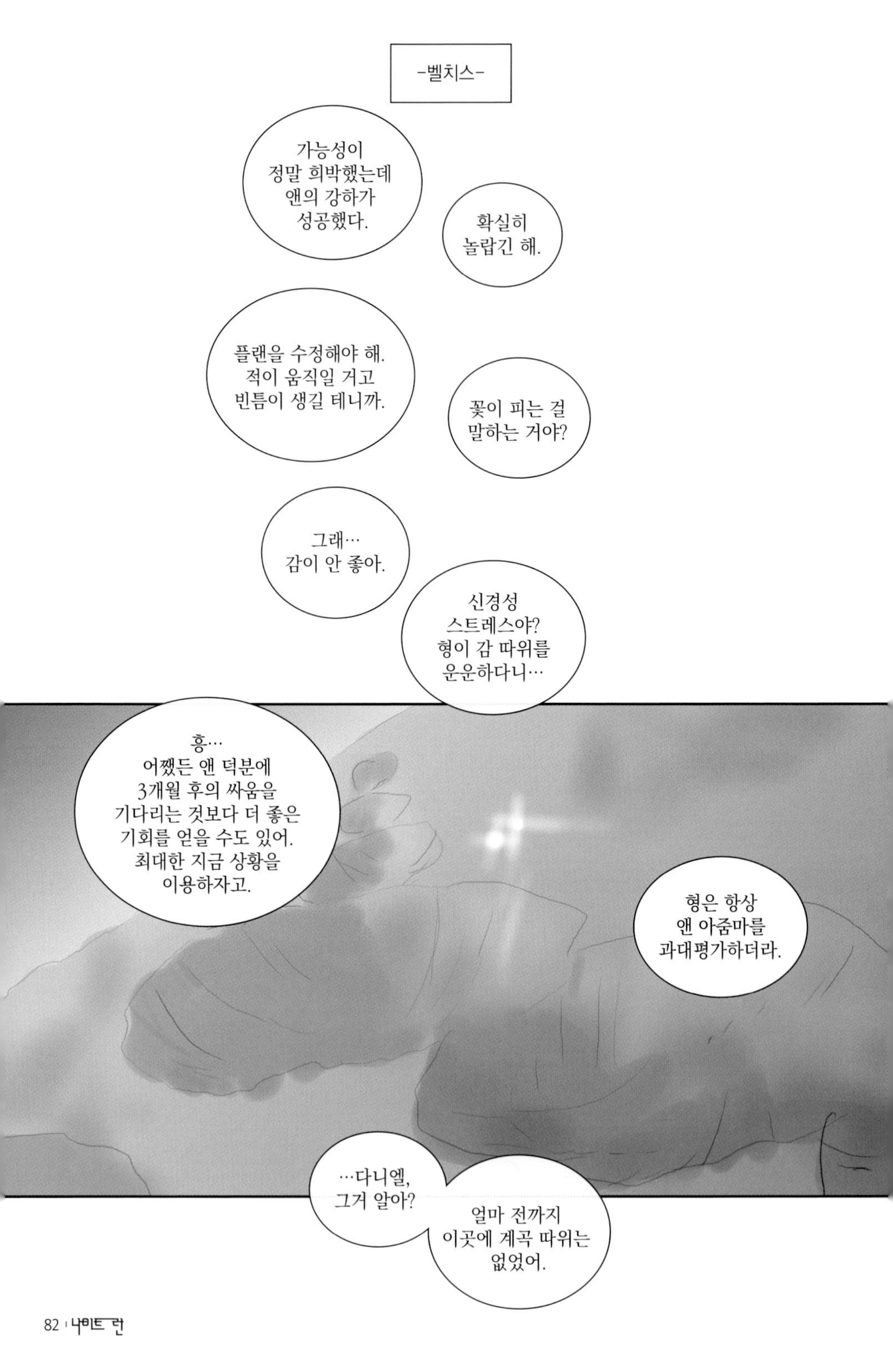
-벨치스-
가능성이 정말 희박했는데 앤의 강하가 성공했다.
확실히 놀랍긴 해.
플랜을 수정해야 해. 적이 움직일 거고 빈틈이 생길 테니까.
꽃이 피는 걸 말하는 거야?
그래… 감이 안 좋아.
신경성 스트레스야? 형이 감 따위를 운운하다니…
흥… 어쨌든 앤 덕분에 3개월 후의 싸움을 기다리는 것보다 더 좋은 기회를 얻을 수도 있어. 최대한 지금 상황을 이용하자고.
형은 항상 앤 아줌마를 과대평가하더라.
…다니엘, 그거 알아?
얼마 전까지 이곳에 계곡 따위는 없었어.

벨치스에는
풀 한 포기 하나 없네.
이런 데 콜드히어로가
있었다니…
이게 그토록
벨치스를
되찾으려 했던
이유인가…
벨치스 때
이 녀석들을
이용할 수 있었다면
좋았을 텐데.
아무리
E-33전을
겪은 인간들
이라지만…
신화는
늘 부풀려지기
마련이잖아.
괴수도 나날이
발전해 왔고…

맞는
말이야.
괴수는
기술과 경험을 토대로
유전 인자를 조절해
만들어지니까 지금의
E-34야말로 최악의
진화 형태지.
하지만 이들을
활용할 수 있다면
승률이 오르는 것도
엄연한 사실이야.
해동 상황은?
일단 바로
쓸 수 있는 카드는
잘나신 공작님과
전기 사용자 정도.

그 똘끼 넘치는
전기뱀장어는
가문에서 정중히
마중까지 나왔어.

공작은?
무장 중이야.
별칭 그대로 온통
핏빛으로 도배한 걸
보면 취향도 참…

어디까지나
구호 임무가 목적인
100인의 교회기사단이
이런 식으로 전면전에
참가하게 되다니…
그래 그래
내가 기사단이랑
싸운 패널티겠지…
미안하다 자식아.
그게
사과하는
자세인가요
마일로 씨?
어라…?
과연 벨치스를
거점으로 하는
이유가 이건가…
오랜만이군 공작.
마일로…?

그렇군…
넌 계속 살아온 건가?
뭐 살아서 반겨 주는
사람이 있다니
나쁘지는 않네.
카심…
카…심…
저기…
마이…로…
마…일로…
저 머저리도
함께냐…

이 면상들을 보니
큰일은 큰일인
모양이군.
또 레온하르트
녀석들인가…
우리가 다 죽을 때까지
노예처럼 부릴
모양이야.
그럴지도.
너희는 그렇게
살다가 죽어. 아니면
나처럼 종교에
귀의하든가.
사이비
기질은
여전하군.
카심 카심
마이로…
마일로…
나 쟤
아는 척하기 싫은데
좀 어떻게 해봐.
안 그래도 나쁜 머리가
더 퇴화했잖아.
땅에 있는 거나
안 주워 먹으면
다행이지.

뭐 간단히 끝내 주지.
자만하지 마 카심. 소환되는 건 너희뿐만이 아니야.
마지막 일라이족인 범죄자 차리를 사법 거래로 꺼내 줬어.
그놈 하나밖에 안 남았나? 속이 시원하군.
북부에서도 다인의 후속작인 쌍둥이 다중초상능력자를 투입하지. 아직 조정도 안 끝났는데…

거기다 남부의 청색창부대와 백전노장의 부대장 찰리가 예비군으로 소집됐어.
찰리? 그 애송이가?
이젠 너보다 나이가 많아. 너만큼 잘 싸우고.
남부는 현재 방어선이 무너져 자원행성 3개가 넘어간 상황인데도 부른 거야.
결코 가볍게 볼 일이 아니라는 말이지.

드라이의 힘이 없었다면 이 정도 통솔은 불가능했어.
기사단이 한 권력에 귀속되는 건 솔직히 성가신데… 어떤 녀석이지?
전투력은 과거의 나를 능가할지도… 초대 당주에 근접해 있어.
흠… 그런 녀석이 막지 못한 영식이라… 기대되는데.
…그게 강한 건 힘이 아니라 싸움법이 인간을 닮았기 때문이야. 단 한 번의 기습으로 거의 모든 걸 잃었지.
호오… 내가 잠든 사이 설쳤다는 크로스아이는 보지 못했지만 이번 건 구경 좀 해야겠군.
우선은 드라이부터.

여러분 모두는 자신이 주인공이라 여기겠지만 모두가 주연인 캐스팅 같은 건 없어요. 우리 모두 그녀를 위한 조연일 뿐입니다.
저에게 당신들을 소집할 권한의 근거를 요구하는 겁니까? 그런 걸로 시간낭비할 생각은 없습니다.

애초에 이 무대는 그녀의 행동 덕분에 드러난 적의 세력과 반응에 의해 마련됐어요.
제 역할은 단지 주연을 차지하려 떼쓰는 삐에로들의 고삐를 쥐는 것일 뿐입니다. 영웅심에 도취된 싸움이 아닌 합리적이고 냉정한 전쟁을 위한 고삐죠.
따라서 우리 중에 이번 영웅의 자리에 오를 사람은 아무도 없습니다. 저 역시도…
제가 권력이나 지위를 탐내는 인간이라면 날 끌어내려도 좋아요.

힘으로라도.
하지만 그 전까진 제가 당신들의 위에 섭니다.

네 말대로
잘나신
대장이로군.

현 기사단 전력만으로는
승산이 없다고 판단…

모조리 꺼낸 히든카드.

전례 없는 영웅들의 부대.

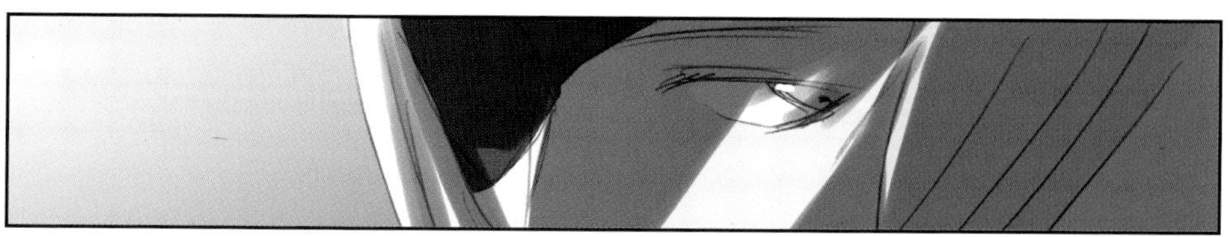

차펠린과
공중정원까지
가세했군…
비겁하게
그녀에게
모든 짐을
짊어지게 한
이상…
조연으로서
할 수 있는 건
다 해야겠지.
난 결국
제자에게
미루기만 하는
비겁자군…
시작은 무엇이었을까?
피온? 마이어? 그 기도?
전쟁으로 모든 게
엉망이었던 시절…
주위의 깡패나
인신매매범조차
무서워했던
괴물 꼬맹이.
하지만
나에게 그 녀석은
그저 물건이나 훔치고
고물이나 주워 팔던
가난뱅이 꼬마였다.

언제부터인지
녀석에게 동료가
생겨 있었고
프레이의 본성을
애써 외면해오던
나의 태도는

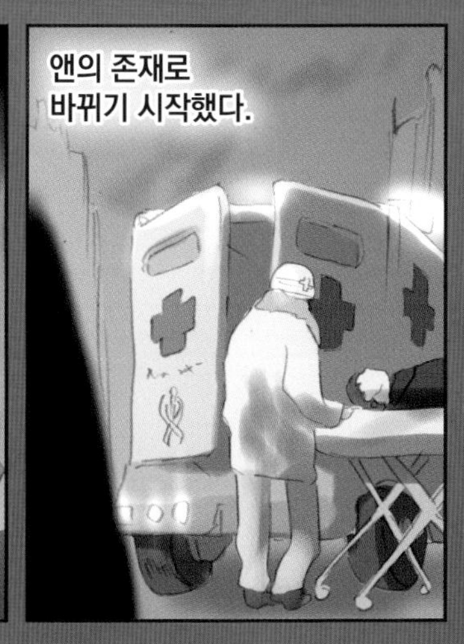
앤의 존재로
바뀌기 시작했다.

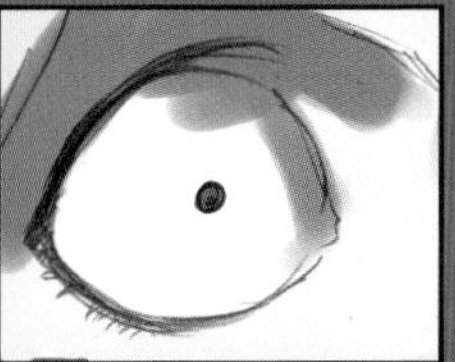

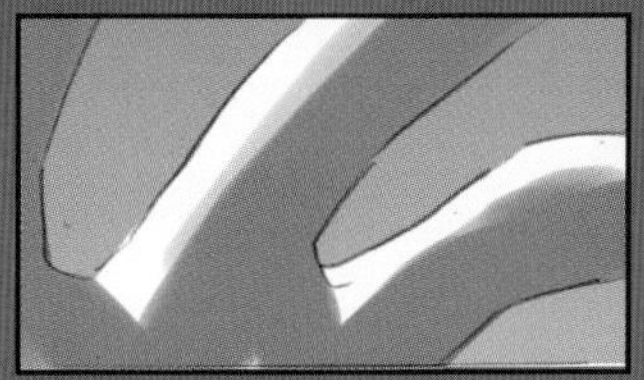

앤???!!!
앤!!!

어떻게 된 거야?!
앤!!! 왜!!!

투투투투투투투투

보이지도 않는데 무턱대고 총질이라니… 뭔 여자애 하나에 쫄고 난리야 총알 아깝게…
야야 봐봐 엉뚱한 놈이 맞았잖아…
네가 몰라서 그래 그…그 녀석은 악마의 자식이라고. 벌써 우리 애들 수십이 당했어.

그년하고 같이 있던 꼬마 아냐?
죽기 전에 캐물어.
제길 죽으면 상품도 안 되는데…

야 인마…! 그 노랑머리 어디 갔어!
퍽
…쳇… 죽었나?

넌 누구…
…우왓!

핏

한꺼번에
모여있다니
찾을 수고가
줄었군.

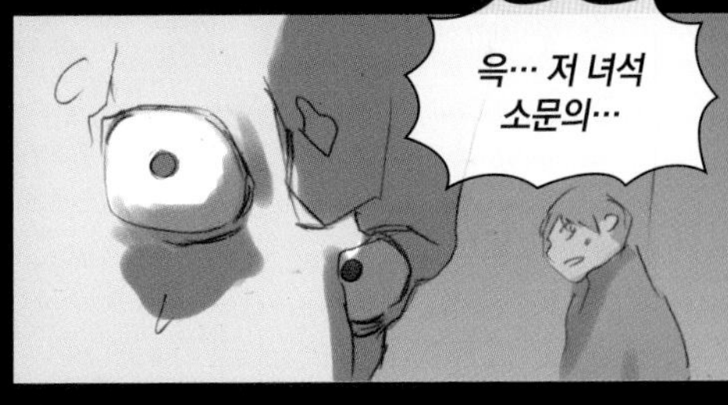
윽… 저 녀석
소문의…

탕
주… 죽어!!!

고아들을 납치해
팔거나 매춘을 시키는
쓰레기 패거리가
있다더니…
우리 고아원
아이들도 당한 바가
있어서 이거 그냥은
못 넘기겠는데?
휙
팅!
?
자…잠깐!
우린 단지…

빡

2시간이나
걸리다니
굼벵이들…

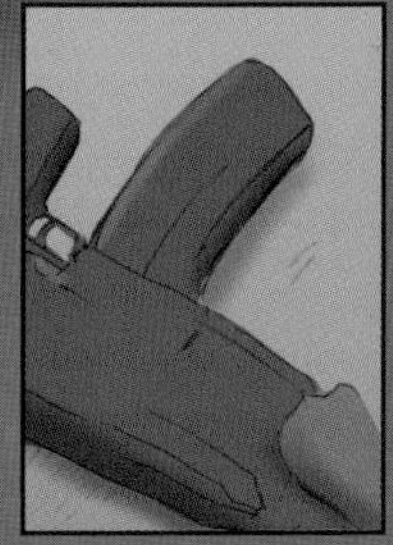

치안 병력이
턱없이 부족하니
있으나 마나로군…
네가 있었으면
다 죽였겠지…
요즘은 그 꼬맹이
때문인지 좀
자제하는 것
같지만…

볼품없는
판잣집에
구멍만 늘었어.

꼬맹이 목숨은
건졌다니 너무
걱정 마.

어떻게든
건강을 회복시킬 테니
그건 나한테 맡겨라.
정말이지?
…거짓말이면
죽일 거야…

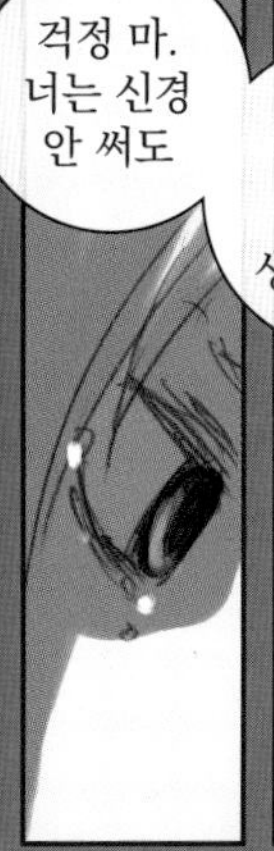
걱정 마.
너는 신경
안 써도

그 아이는
지켜야 할
인간이라
생각하니까.
그리고
전의 입양 이야기…
받아들이는 게 어때?
안 그러면 피온과
똑같은 결말이
날 거야…

모두
다른 곳으로
보냈어.

네가
마지막이야.

너 같은 녀석이라도
키워줄 수 있는 부모를
겨우 찾았으니

낡아빠진 판잣집.
고된 삶.

인근 행성의 침공과
간헐적인 괴수의 출현으로
치안이 붕괴된 이 도시에서…

꼬맹이 둘이 서로를 의지해
어떻게든 살아남으려고 애쓰는 모습이
내 마음을 흔들었던 것 같다.

푸른 지붕의 앤.

사실 프레이가
정상적인 삶을 살 수 있는
어떤 '것'이 아님을
직감하고 있었다.
이 녀석이
가지고 있었군.

아니에요 선생님.
그녀는 단지…
외로운 것
뿐이에요.
누군가
소중한 사람이
곁에 있다면
분명…
아니…
난 단지 피온이 믿었던 걸
믿고 싶었던 걸지도 모르지.

앤 셜리…

피온이 가지고 있던 책의 주인공과
같은 이름을 가진 소녀를 등에 업은
프레이의 뒷모습은 너무나 평범했기에…
난 잠시 감상에
빠져 버렸던 거다.

그 해.

둘은 행성 타오의 작은 검술 도장을 운영하던
마이어 가의 한 여성에게 입양되었고

프레이 마이어

앤 마이어.

그렇게
자매가 되었다.

part 45. 푸른 지붕의 앤 [끝]

part 46

Knight
RUN

앤은 내 거야.
너에게 주지 않아.
빼앗지 않아
프레이…
난 이미 마음이
완전히 무너진
사람이라…
너같이 강한
소망도 애정도
남아 있지 않단다.

…하지만
네가 지킬 수
있을까?
그렇게
개가 짖는 것마냥
으르렁대기만
해서는…
…그 아이를
지킬 수 없어.
…?!!!
지킬 수 있게
도와줄게.
도장으로
따라와.
너에게 누군가를
지킬 수 있는 힘을 줄게.

강함은 단지
과정이나 겉모습에서
나오지 않아.
모든 요소가
적절히 결합되어야
하는 거야.
지식, 판단력,
분별력 그리고
재능이 네 미래를
만드는 것들이지.
항상 너 자신과
주위를 관찰하렴.
모든 것을 배워.
하아...
하아...
강한 척할
필요는 없어
프레이.
네가 원하는 미래를
쟁취하기 위해
필요한 것을
쌓아야 할 뿐이야.
지킨다는 건…
무엇보다도
어렵단다.

그녀가 만든…
의미 자체를 변화시켜
현실에 반영하는 힘.

적을 이기기 위해
만든 것.

내가 해야 할 일은…

내가 해야 할 일은 오직 하나.

최강의 적이었던 절망적인 현실을
나 자신에게 동화시켜…

최강의 적을 나의 것으로 만들어
내가 최강의 적이 됨으로써…

사람들을 지키는 것.

앤을 지키는 것.

쿨럭-!

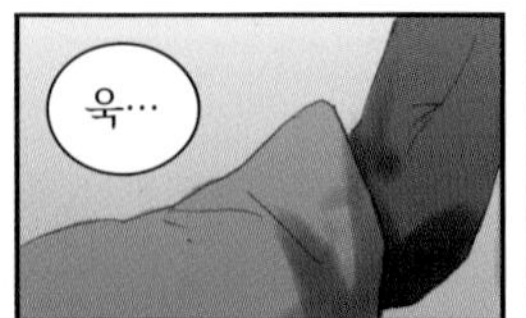
윽…

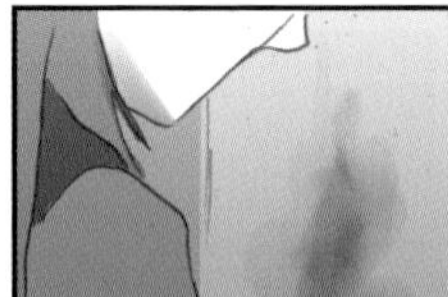

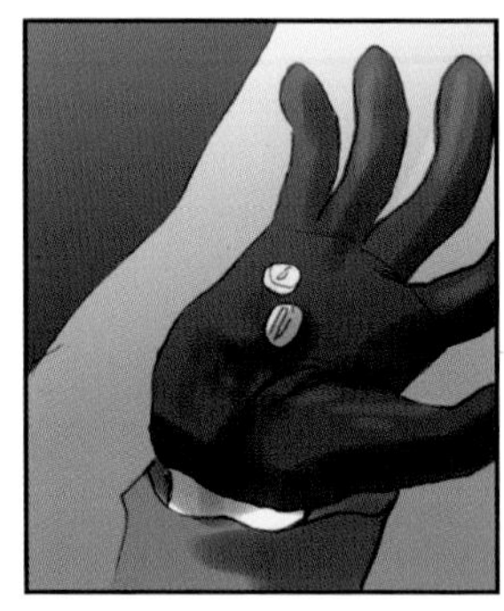

적파.

망가져 버린
이 몸으로는…
자살행위다.

아니…
그래도
해야 해.

골골대긴…
그렇게까지 하는
이유가 뭐야?

그러다 죽어.
나노머신치료도
포기했다면서…

결과는
상관없어.
중요한 건…

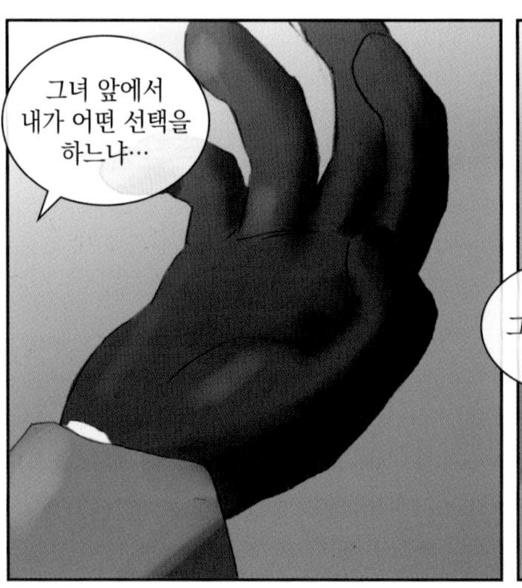
그녀 앞에서
내가 어떤 선택을
하느냐…

그것뿐이야.
어휴…
아주 철학자
납셨네.

내가 기사가 된 이유는…

하아...
하아...

어떤 게
원인이고
결과인지
이제 와서
생각해 봤자
별수 없어.
지금 놓인 현실에
책임을 다할 뿐이야.

그리고
지금의 내 역할은
투사(鬪士)다.

불가시 모드
해제.
피난민 수송선은
생존율을 높이기 위해
최대한 흩어진다.
버틸 수 있는 건
길어야 4일…
그 안에 전쟁이 끝나길
기도해야지.

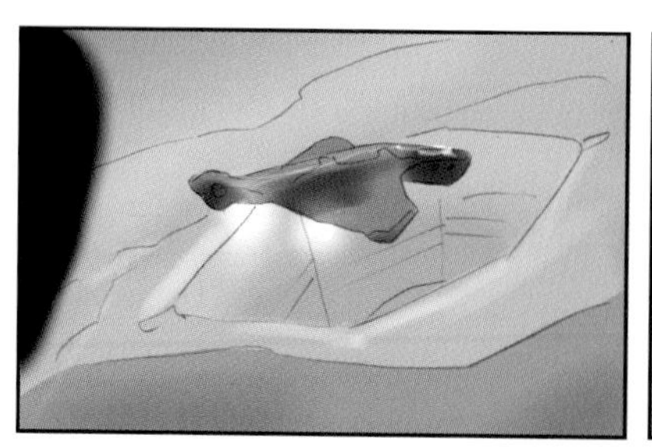

목숨을 바친다.

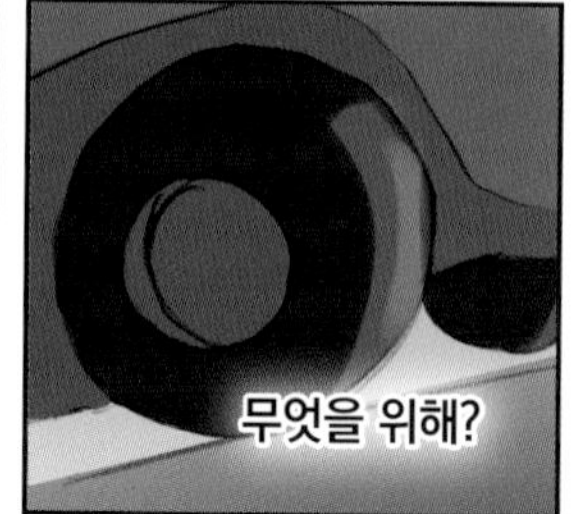
무엇을 위해?

삶.
모순이지만…

죽기를 바라는 이는 아무도 없으나

모두 죽음을 향해 달려간다.

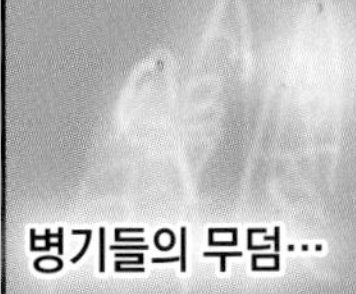
병기들의 무덤…

대부분 전면전은 불가능한 퇴역 기체들과
겨우 2기의 함이 남아 있을 뿐.
현역함이었던 아덴이 당한 건
치명적이었다.

그저

마지막 발버둥을 쳐 본다.

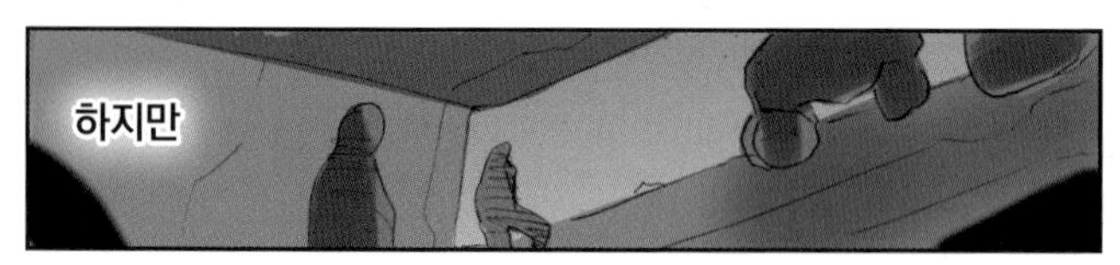
하지만

발버둥조차 치지 않고 죽음만 기다리는 게
더더욱 무서운 건지도 모른다.

그래서 나에 대한
숭배를 가장해

내가 승리를 가져다줄 거라 믿는 척
자신까지 속여 가며 생명을 소비한다.

전 기 배치
완료.
전투 가능한
기체든 아니든
최대한 눈에 띄게 전개해
거점 방어 중인 마난급을
끌어들이는 거다.

자…
멋지게
박살 나 보자!

전투력은 형편 없는
퇴역 기체들일 뿐인데
위용만큼은 대단해.
뭐 다 허세지만…
적은 우리가 갑자기 나타나면
자밀기관을 약화시킬 거야.
마난급이 내려와 색적 및
첫 공격을 할 때가 우리의
처음이자 마지막 기회다.

대형 지대공
괴수가 움직입니다.
자밀기관 약화.
우리 색적 범위도
늘어났습니다.
대공 진형 변경 확인.
마난급 하강.
자밀기관 계속 약화 중.
'활'을 쏘아올릴
포인트 연산 중.

…AE의
사악한 흉계를
한번 믿어 보죠.
함장,
위치를 들키진
않았겠죠?

여긴 아크라이더.
우리 스텔스 기능을
얕보지 말아 주세요.
자밀기관이 가장
옅어지는 시점에
공격 포인트 도착
가능합니다.
여기는 한가합니다.
피서하기 딱 좋아요.
계산된 포인트로
이동 중.

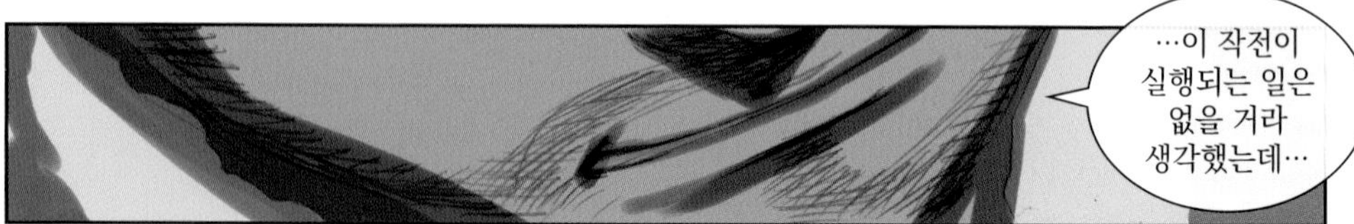
…이 작전이
실행되는 일은
없을 거라
생각했는데…

마난급이
사정권에
들어왔다.

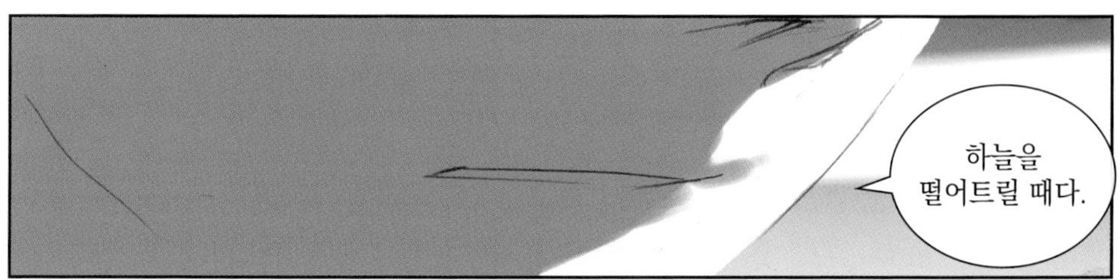

킹
실드 다운!
상부 장갑 융해!
위험합니다!!

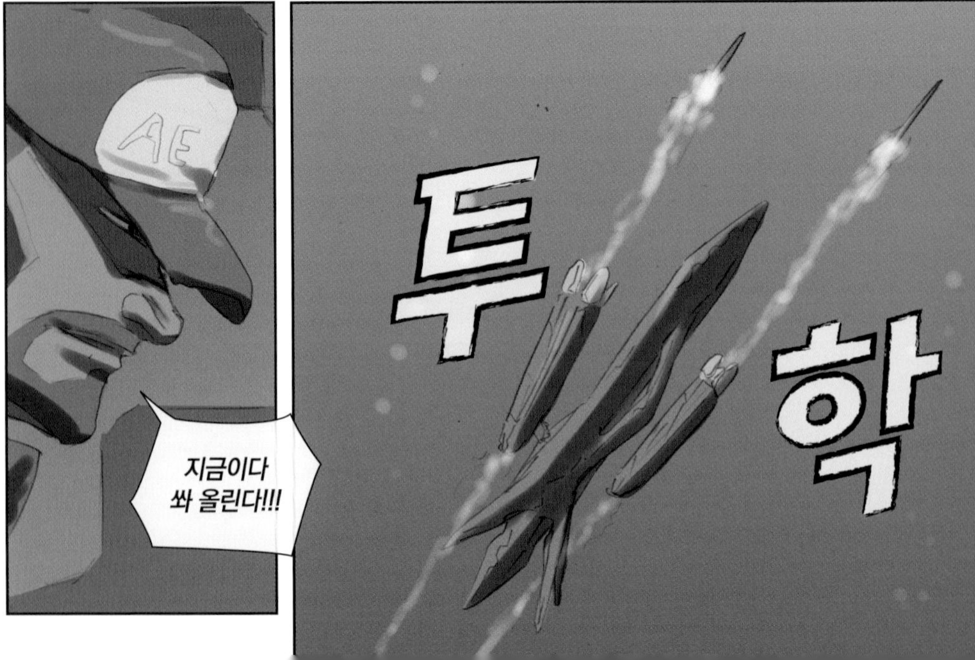
AE
지금이다
쏴 올린다!!!
투
학

코스 확보.
압축.
가속.
발사.
자밀기관에 의한 유도 방해로 오차가 생기지 않도록 주의하라.

모두 기도하자고.

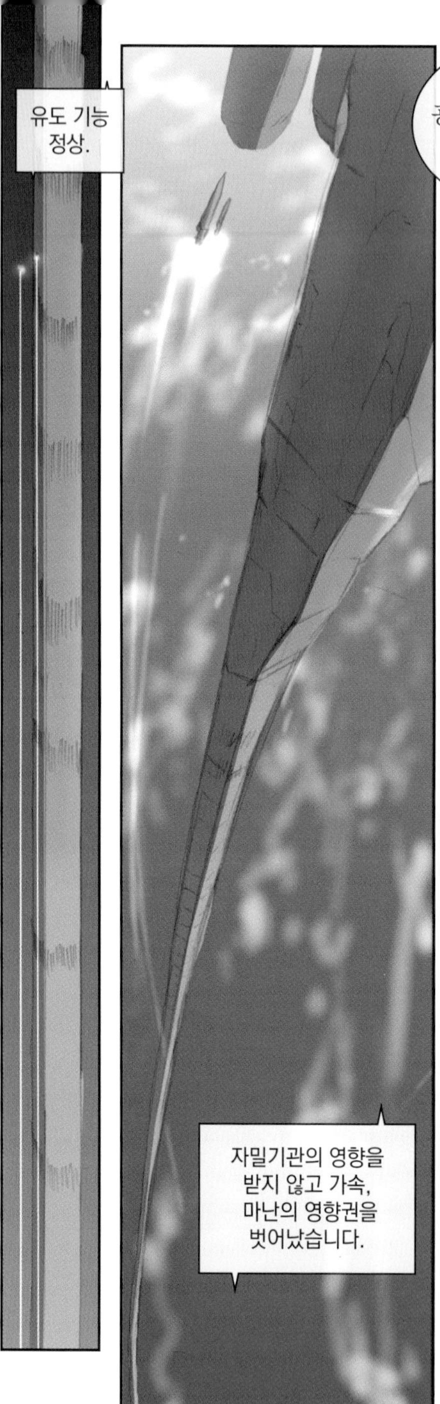
유도 기능 정상.
자밀기관의 영향을 받지 않고 가속, 마난의 영향권을 벗어났습니다.

적은 아래에서 공격해 오리라고는 미처 생각하지 못했을 거다.
궤도 엘리베이터의 제1스테이션까지만 올라간다면…

해당 시설은 이미 디펜시브소자 전개 완료.
늦었습니다. 2차 가속. 압축 개시.

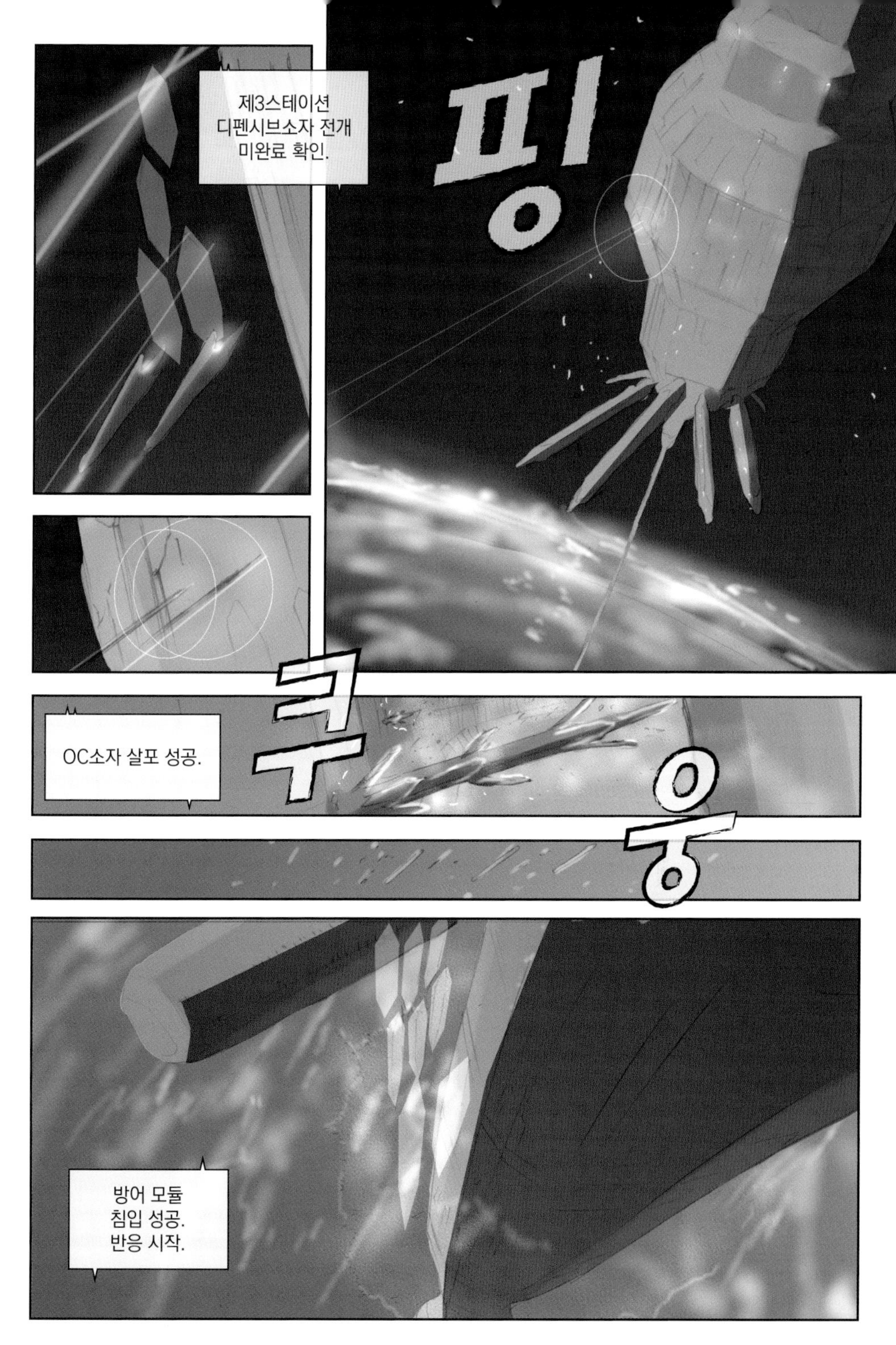
제3스테이션
디펜시브소자 전개
미완료 확인.
핑
OC소자 살포 성공.
쿠
웅
방어 모듈
침입 성공.
반응 시작.

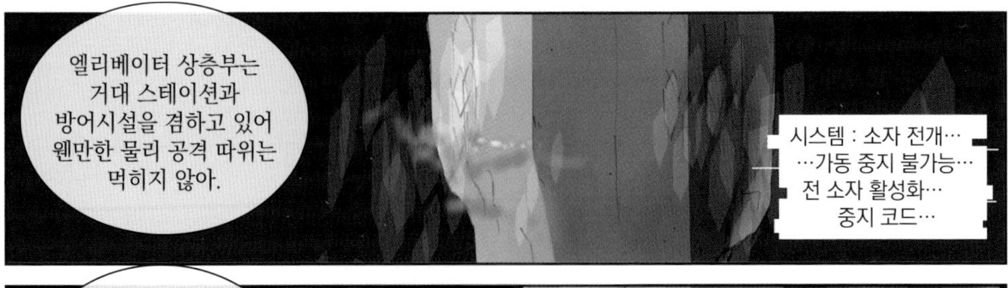

하지만 그만한 규모의 중력 제어와 기지 방어를 위해서는 내부에 대량의 중력소자와 디펜시브소자가 필요하지.

오히려 그게 약점이야.

AE의 장난감이 기지 내부의 소자들을 강제 활성화시켜 폭주하게 만든다면…

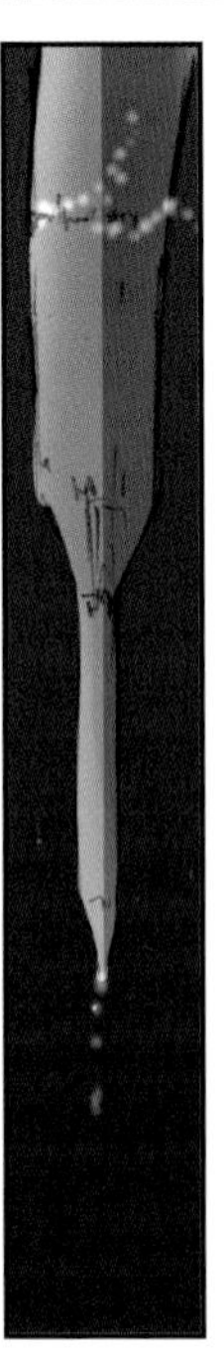

이 폭주는
걷잡을 수 없이
번지게 될 거야.

이동부는
탄성이 강해
버틸지 몰라도
스테이션부는
그렇지 않으니까.

와 이게
도대체 무슨
광경이람.
이건 원래
AE 윗대가리들이
기사단과 아린 행정부의
세력 확장을 견제하려고
준비했던 작전안이야.
작년에 입항한
아크라이더도 그
작전의 일부였다는 건
꽤 흥미로웠지만.
역시 날카로우시군요.
다만 저희는 이 작전의
책임이 기사님에게 있다는
서약에 따라 협조했음을
상기시켜 드립니다.
급조된 계획치고는
상당히 효과적인데?
규모도 엄청나고.
급조된 게
아니야.
응?

프레이…

이건 내
선전포고야.

이제야
오는 거야
앤?

part 46. 선전포고 |끝|

part 47

푸른꽃 2호가
올라갔지만
아직 미완성이라
화력 대응에는
역부족일 거다.
침식 중이던
5플랜트의
보조 병력이
급히 올라옵니다.
적잖이
당황했군.
괴수들도
우왕좌왕하고
있어.
우주 함대 일부와
5지역 가디언까지
강하한다.
어떻게든
수습은 하겠지.

하지만…
적은 이 상황에
힘이 부칠 거다.
불꽃놀이는
성공했어.

플랜트에
파편들이 떨어지면
생산도 어느 정도
늦출 수 있겠지.

이제야 겨우
한방 먹인 셈이야.

지금이
기회다!
미련 버리고
엉덩이에 불이
나도록 튀어!!!!
화려한 탈출을
시작한다. 구형
핵탄두가 방패가
돼 줄 거다.
아크라이더 상승!
전 해치 개방!!!
전탄발사!!

웅

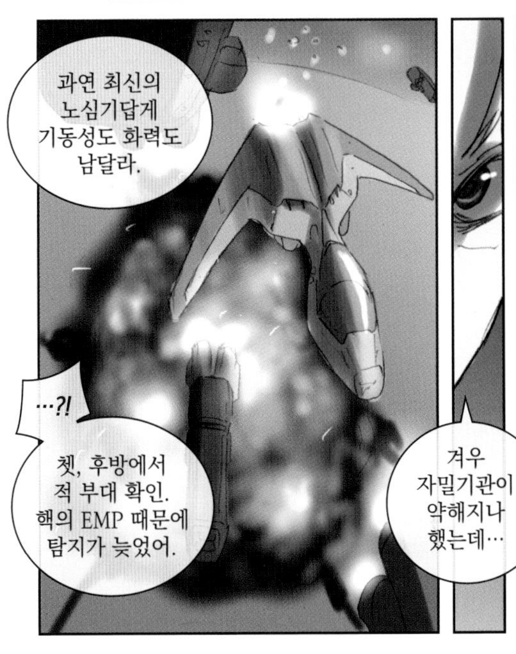
과연 최신의 노심기답게 기동성도 화력도 남달라.
…?!
쳇, 후방에서 적 부대 확인. 핵의 EMP 때문에 탐지가 늦었어.

어느새 3종 플랜트까지 개발된 건가… 드래곤 타입이다.
기사에게는 상위괴수보다 성가시다고 들었어.
겨우 자밀기관이 약해지나 했는데…
그보다 여기를 보세요.

저곳이 바로
중앙의 도면에도
나오지 않는
지하도입니다.
플랜트의 사각지대인
저곳을 통하면
둥지로 가는 길을
확보할 수 있어요.

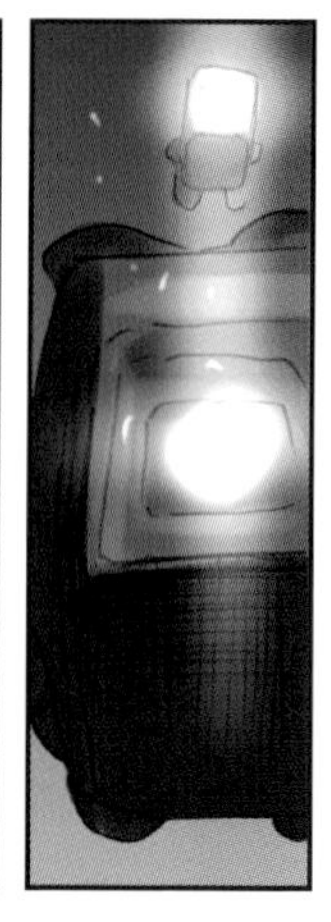

웅

쾅

돌로레스.
HTM모드.
철컥

거점 방위 모드.

데스사이즈 알파 베타 접속.
형 윤의 이름과
메이 아가씨의 명예를 지키기 위해.
기사 첸, 전투에 임합니다.

코드 3DAFG - 452GH. 돌로레스 명령권 임시 이행.
여긴 제가 맡습니다. 가세요 마이어 씨!!

당신의 뜻에 경의를 표하며 무운을 빕니다. 부디 끝까지 살아 주세요.

당신이야말로 살아남아야 합니다.
아가씨의 소망을 이룰 수 있는 건 당신이니까.

그럼 한번 날뛰어 볼까.

차
락

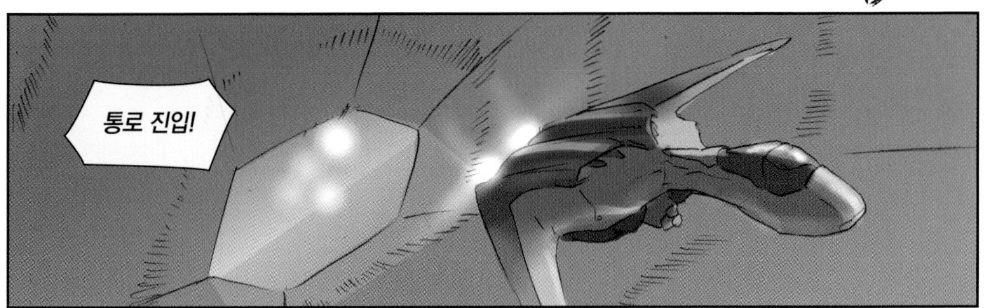
통로 진입!

장애물 없음.
내부 상태 양호.
그래…
모두 젊어지고
가는 거야…
루트
디스플레이.

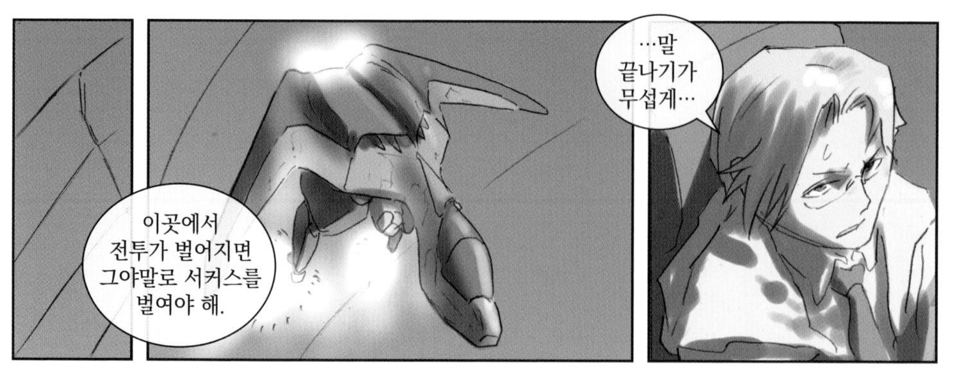
이곳에서
전투가 벌어지면
그야말로 서커스를
벌여야 해.
…말
끝나기가
무섭게…

키리리릭

에드.
지금까지는
미안했어.

늘 험한 일에
끌어들이기만
하고…
네가 편해서
너무 막 대한 것
같아.

철컥

계속 나랑 같이 있다간 제명에 못 살 테니…
끼잉
여기까지로 하자. 어차피 곧 지상을 통한 잠입 루트야.

운행 중 문 열지 말라고.

넌 꼭 무사히 살아남아라.

그렇게 너 자신은 죽어도 상관없다는 듯이 말하지 마.
나도 네가 살아남길 바라고 있으니까.

…에드.

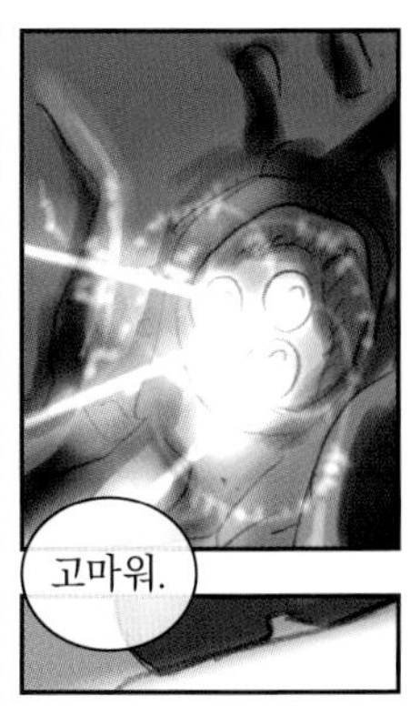
고마워.

웅
철컹

전원 공급.

자세 보정.
가 보자.

타겟 락 온.

발사합니다.

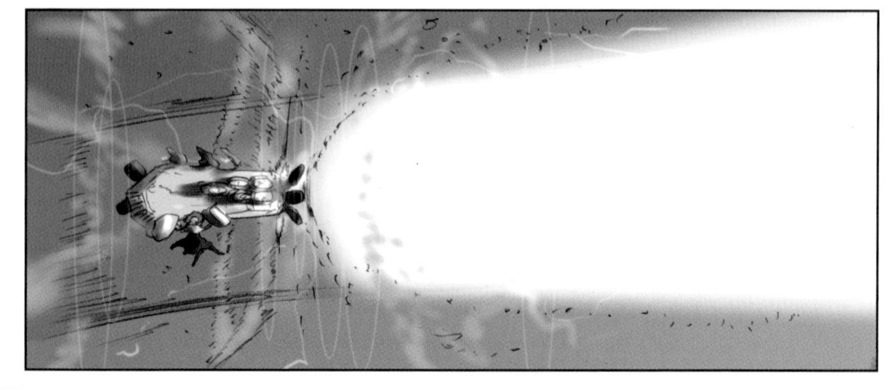

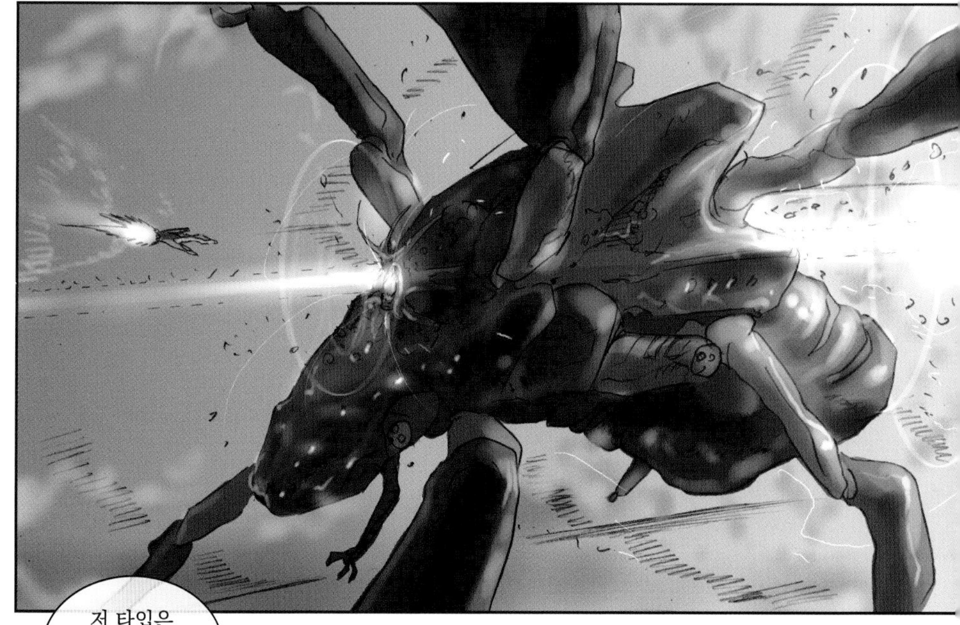

저 타입은
예비 동력기관을
갖고 있지.

결국 서커스로
한 방 더 먹여
줄 수밖에.

콰
앙

기체 한계로 일회용 함포를 달았다지만 성능 하나는 확실하군.
루트 D로 향합니다. 꽉 잡으세요.
허리 때문에 높은 곳은 질색이니까 살살 좀…

근데 아까 사과까지 했는데 여전히 에드 씨는 미끼네요?
걔는 목숨이 질겨서 괜찮아.

적 다수 접근.
…어라?

…

파수꾼이
옵니다.

꽉 잡으세요.
실드 전개.
뭐?
근데 의외로
뱃살이 있으시군요.
…주물럭대지 마.

투
바
바

촤

퍼버버벙

콰

긴급 상황에 의한
리미터 일부 해제.

촤 악

1종
드래곤 타입
감마.

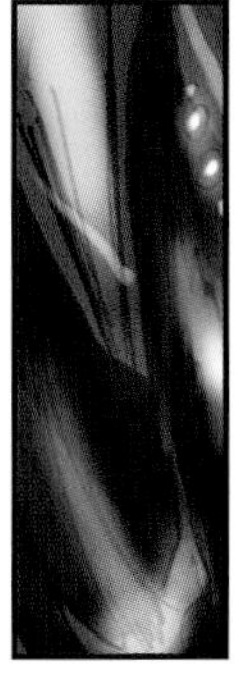

part 47. 돌파 [끝]

part 48

작살난 궤도 엘리베이터나
수습할 것이지 왜 아직도
우릴 괴롭히는지 모르겠네.
푸념은 관두고
뭐라도 좀 해 봐요
워프도 안 되는데…
함장님이 한 거라곤
알키오네 블랙홀 엔진의
워프 마커 작동밖에 없잖아요.
덕분에 제대로 들켜서
이러고 있는 거고요.
왜 자꾸 나만
갖고 그래?
젠장 저렇게 나올 줄
누가 알았냐?
언제 저런 걸 만들고
있었는지…

여하튼 다
네 탓이야 인마
네 탓 네 탓 네 탓-!
…진짜 계급장 떼고
한번 맞짱 뜰까요?
…진짜
때릴 것 같아서
싫어.

푸른꽃의 중력장은
D그래프를 밑돕니다.
워프 항행 기능은
아직 활성화되지
않은 듯합니다.
그렇게 잘났으면
저기 꽃밭에서
환갑잔치라도
하시지 말입니다?
웃기지 마.
난 원래 시크하게
가만히 폼 잡고
있을 거니까.
…그리고
알키오네를
노리는 것
같습니다.
제길 저놈에게는
1분도 못 버텨.
잉여야 너 나가서
미끼나 해라!
누가 잉여인지
투표라도 할까요?

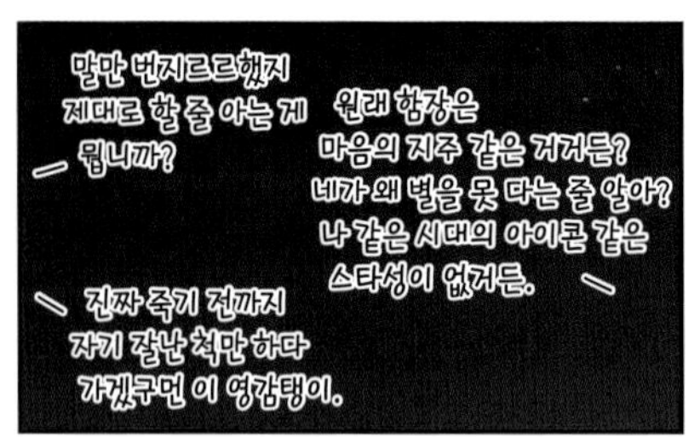
말만 번지르르했지
제대로 할 줄 아는 게
뭡니까?
원래 함장은
마음의 지주 같은 거거든?
네가 왜 별을 못 다는 줄 알아?
나 같은 시대의 아이콘 같은
스타성이 없거든.
진짜 죽기 전까지
자기 잘난 척만 하다
가겠구먼 이 영감탱이.

알키오네 엔진
특이점 공유 시그널.
누군가 AE 코드로
우리 위치 정보를
탐색합니다.
이 자식이
짬 좀 먹었다고
개기는 것 좀 봐.
안 개기게
생겼습니까?
워프 아웃
합니다.

연합 함대
워프형 고함 래프린,
항모 가든 오브 바빌론,
기사단 기함 차펠린 외
대규모 함대 확인.

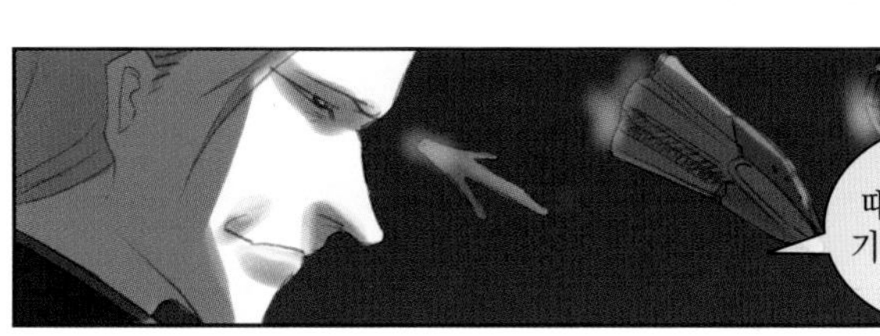
노튼 제독님.
임시 기사단과 AE 공동
연합군은 현 시간부로
아린 공략전에 참가합니다.
관련 정보 공유를
요청합니다.
때맞춰 왔군요
기사 대장 나리.

오랜만이군요 제독님.
워프로 도망이 아닌
마킹에 전념해 준 덕분에
쉽게 도착했습니다.
그 판단에 경의를
표합니다.

워프함은 이거
하난데 딴 놈들 놔두고
어떻게 튀냐?
얜도 그렇고 저 자식들
멋지게 등장하려고
기다렸다가 타이밍
맞춰 나오는 거 아냐?
쯧쯧
배배 꼬여서는…

여러분이
만들어 주신
이 기회 날로
먹겠습니다.
푸른꽃을
보게 될 줄이야…
다행히 아직
완전히 피어나진
않았군요.
말하는 싸가지
좀 보소?!

지금이라면
승산이 있다.
푸른꽃 상륙작전을
개시한다.
저 적 요새가
행성 방위급 실드와
연속 워프 기능 활성화를
마치기 전에 승부를
내야 해.
차펠린
오로라 시스템 작동.
역사를 바꾸는 건
기술과 발명임을
입증해 주지.
오로라 웨폰으로
실드가 뚫리는 순간
모든 기사는
푸른꽃에 내린다.
푸른꽃의
방어에 대처하려면
AB소드 외에는
방법이 없어.
…쉽지는
않을 거야.
저기를
보라고.

…?
노심 반응
입니다!

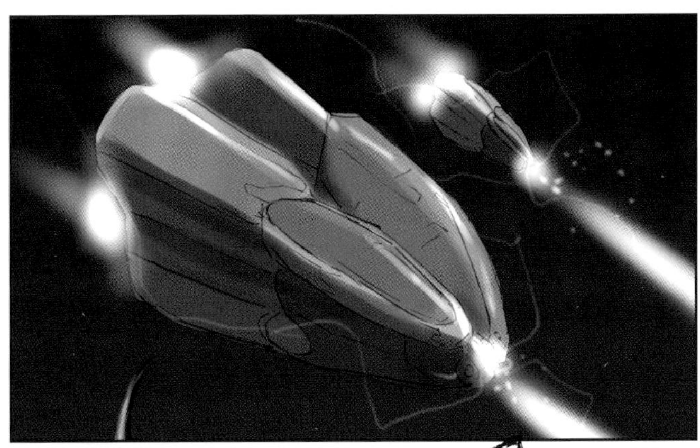

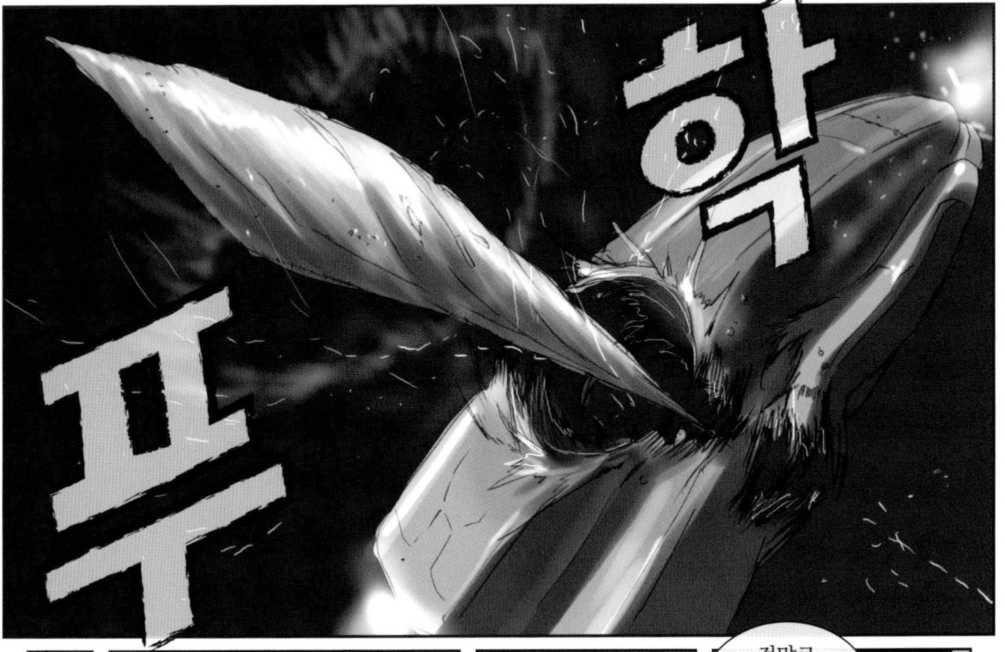
푸
학

우주인 것도
불리한데
저런 적과
싸우라고?
저건 네가
말한 것과
다른데?

예…
그렇군요.

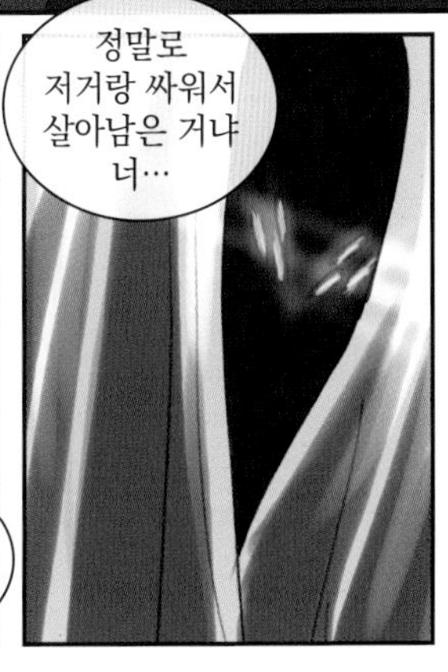
정말로
저거랑 싸워서
살아남은 거냐
너…

제1 영식(零式)
피어 Fear
전천후 최종무장 백색
全天候 最終武裝 白色
외장 노심이라… 안 그래도 전례 없는 S급 영식이라 부를 만한데…
최악의 문지기가 되었군.

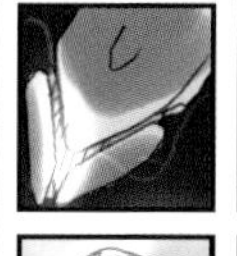
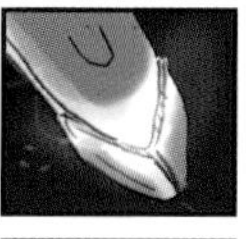

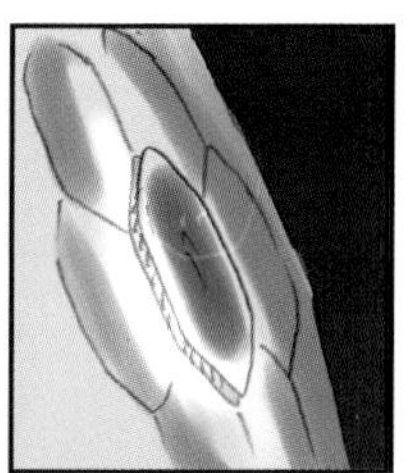

추정 노심 사양
본체 C급 1기,
외장 A급 8기.
이미 영식이라는
범주에 넣을 수조차
없어.
저건 그냥
괴물이다…

아무리 우리
전력도 강하다지만
저것과 푸른꽃의 조합을
우주에서 이길 수는
없어.
영식이 두 기라
여왕 호위를 유도해
지상전으로 가는 것도
불가능하고…
이렇게 궁지에
몰린 건 E-33전
이후 처음이군.

게다가 영리하게도
바로 들어오지 않는군요.
그저 화력으로 견제만 하면서
푸른꽃이 활성화되기를
기다릴 속셈이겠죠.

그래도
싸웁니다.
지금 우리가
할 수 있는 일은
여기서 소란을 피우며
앤에게 괴수의 전력이
집중되지 않게
하는 정도예요.

그나저나
영식은 2기…
…나머지 1기는
…어떨까요?

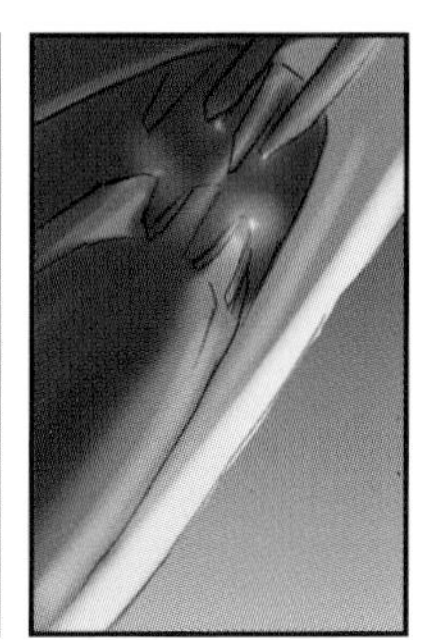

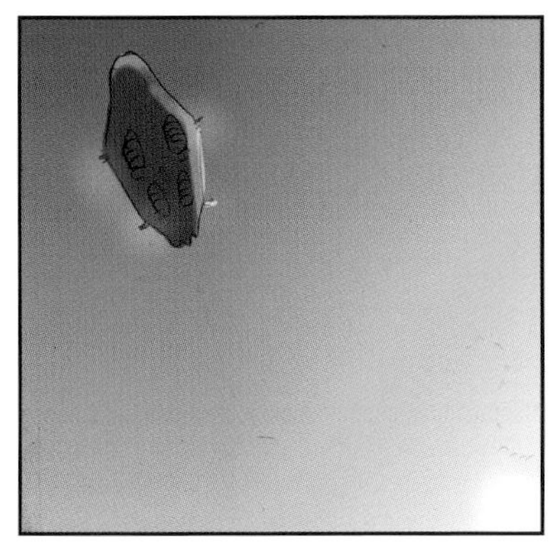

어?

무슨 일이야?!
공중으로부터
고출력 빔
공격입니다!
광학 센서 가동.
함대로 보이는
대형 기영은 없…
?!! 잠깐
노심 반응이…
제길… 분명
이 공역에는 아무도
없었다고!!!
우
웅

적 소형기
1기 확인!
부대 전력
90% 손실!
말도 안 돼!
소형기에 어떻게
이런 화력이…
뻔하잖아
영식이다!!
이런 영식은
본 적이 없습니다!!

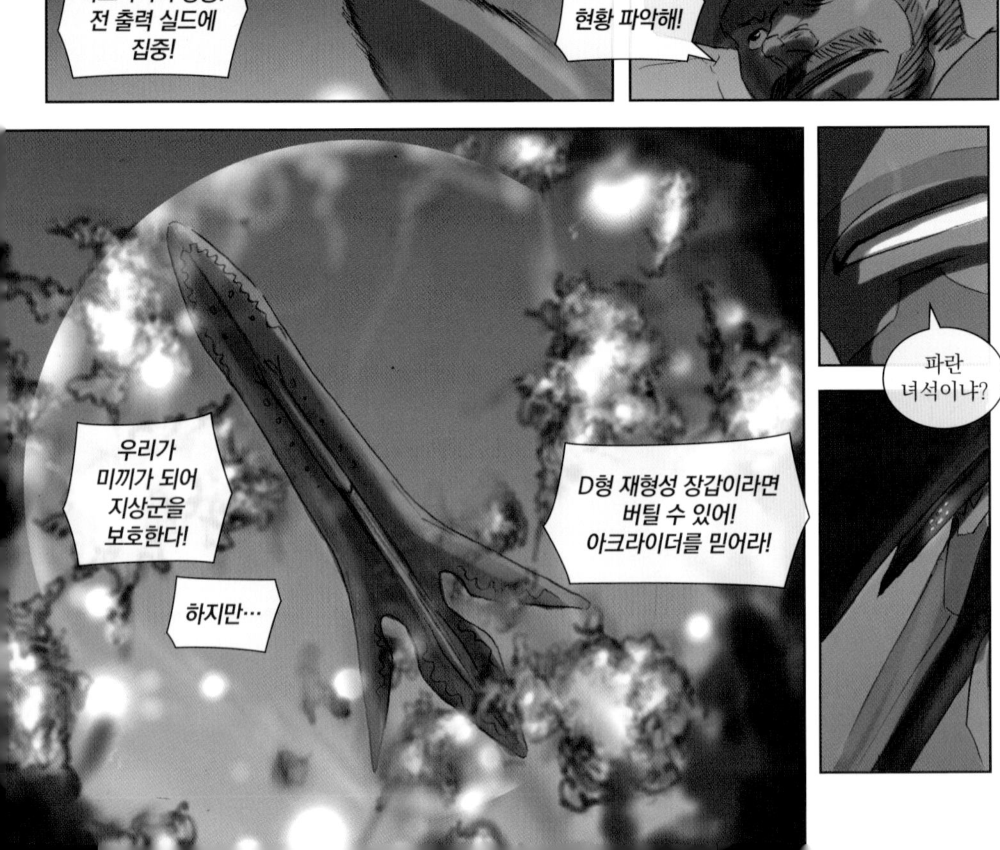
아크라이더 상승!
전 출력 실드에
집중!
현황 파악해!
우리가
미끼가 되어
지상군을
보호한다!
하지만…
D형 재형성 장갑이라면
버틸 수 있어!
아크라이더를 믿어라!
파란
녀석이냐?

제2영식(零式)
블루비틀
Blue Beetle
최종만능무장 청색
最終萬能武裝 青色

낙하물로부터
플랜트를 지키는 것보다
우릴 죽이는 게 먼저다
이건가…

그렇게…
인간이
미운 거냐?

남은 부대가
철수할 때까지
우리가 시간을
번다!!!

그 다음
우리도 멋지게
도망가자고!!!

이건 해도
너무하잖아.

퍼엉

자색대함도
紫色對艦刀
폴니르
Mjollnir
거의 전 부대가 당했어…
어디로 가는 거지?
둥지겠지. 떼어놓을 수 있다고 생각했는데…
…기사님께 행운을 빌 수밖에 없겠군.
part 48. 백, 청 |끝|

part 49

마이어 가는 대전쟁 시대 대(對)상위괴수 강화병을 위한
전투 기술을 정립시킨 유서깊은 무가 중 하나이다.

이 기술은 지구권에서부터 전설로만 전해지던 고대 무술을
초인에 가까운 강화병의 스펙으로 재현해낸 것이었고
소수의 선택받은 전사들을 통해 전승되었다.

그러나 대대로 초인적인 신체 능력을 지닌 인재를 배출해 전승자를 내놓던
마이어 가도 서서히 그 능력을 잃어 마이어 식 또한 쇠퇴하고 있었는데…

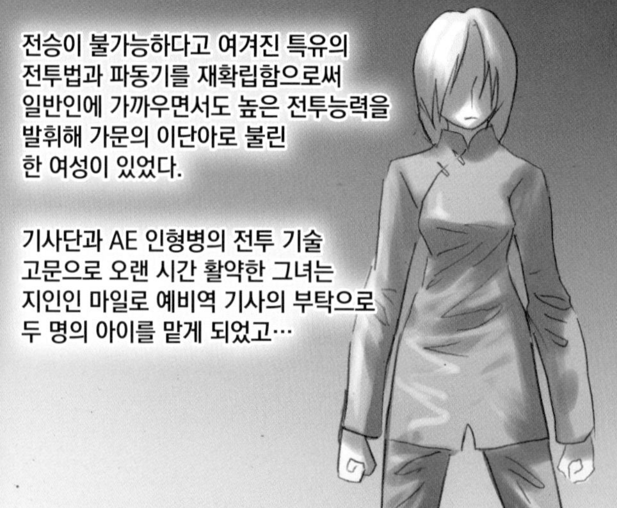

우리의 어머니이자 스승으로
그녀는 그곳에 있었다.

그녀는 프레이와 나에게
많은 것을 경험하게 했다.
전투와 생존의
기술을 익히고

극지를 탐험하고

각지에서
캠핑을 하며

사냥으로 식량을
구하기도 하고

전쟁 피해 지역의
구호활동에도 참여했다.

그야말로 발길 닿는 곳은 어디든 가서
온갖 새로운 일들을 경험했다.
그것이 그녀의 바람이었다.

늘 어디론가 떠나야 하는
강행군의 연속이었지만

힘들기만 한 것은
아니었다.

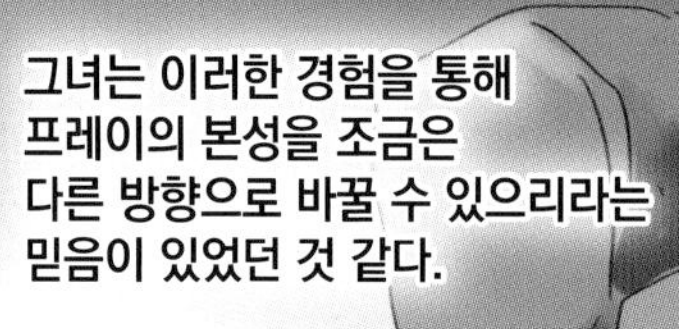
그녀는 이러한 경험을 통해
프레이의 본성을 조금은
다른 방향으로 바꿀 수 있으리라는
믿음이 있었던 것 같다.

프레이는 그녀에게서
많은 것을 배우며
성장하고 있었다.

그리고 그 믿음은
이뤄질 것처럼 보였다.

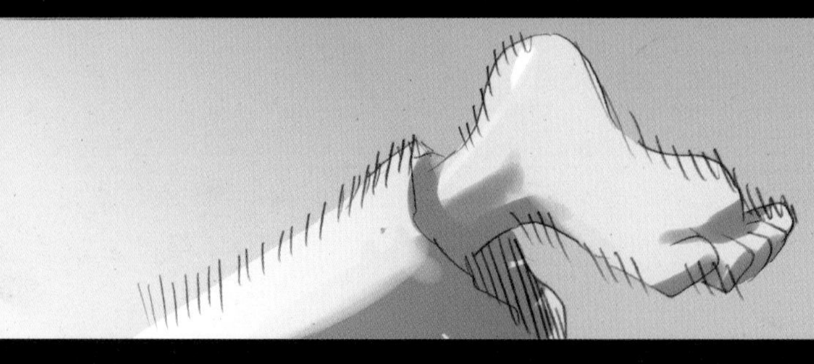
하지만…

프레이의 성장은 너무 빨랐다.

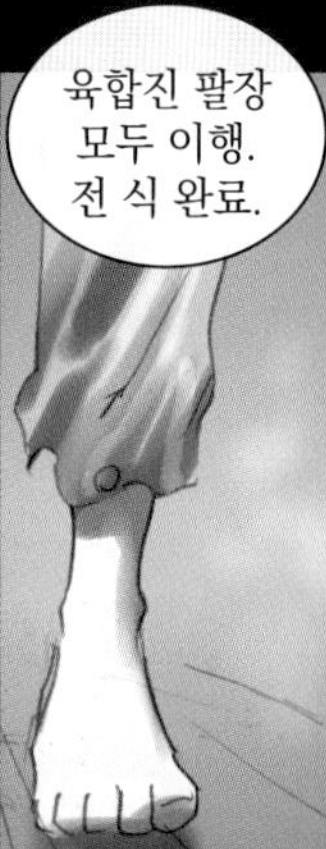

본가 당주인 카렌 마이어에게 검술 영파의 전승을 요청합니다.

그녀의 마지막 파동기 전수는
상대의 기술을 같은 기술로 상쇄함으로써 완료된다.

이게…
…다야?
시시한 기술이네.
파동기를 검에 담는 요령도 뻔하고… 뭐 힘과 속도만을 추구한 단순한 전투 이론은 맘에 들지만…
방금 그건…
내가 새로 만든 거야. 프레이 식이라고 이름 붙이려고.
나름 신세는 졌지만…
넌 이제 필요 없어.
프레…
아 앤 어서 와. 수련이야?

응 나 오늘부터
검무 들어간다~!
아줌마가…
그럴 필요
없어.
내가
가르쳐 줄게.
응?

이젠 내가
더 강해.

프레이는 양어머니에게서
어머니의 자리는 물론
스승의 자리마저도
양보하지 않았다.
그 쓸쓸한 눈빛은
아직까지도 선명하게
기억이 난다.
아줌마…
그녀는 분명
훌륭한 어머니였지만…
프레이가 있기에…
거리를 둘 수밖에 없었다.
타인을 인정하지 않는
프레이가 있는 한
그 거리를 좁힐 수는 없었다.

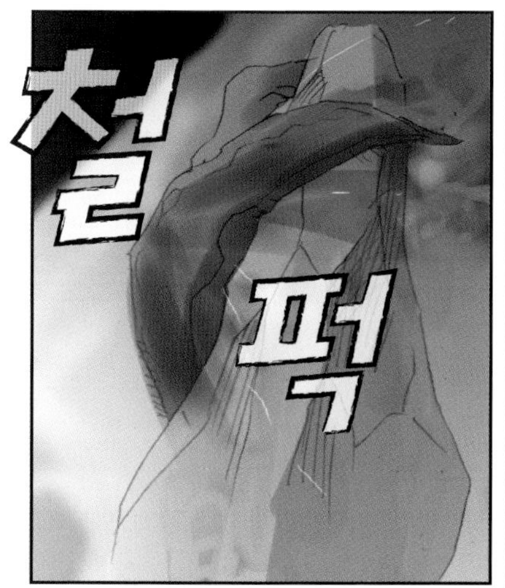
철
퍽

촤락
?!

마스터!!!

괜찮으세요?!
…괜찮…아…
코트도 있고…

조금…
몸에 무리가
왔을 뿐이야.

마스터…

괜찮다고
했잖아.

하지만…

괜찮지 않으면
어쩔 건데?

상대는
기다려 주지 않아.
선택엔 대가가 따르기
마련이지.
나의 붉은 힘은
그녀의 유산이자…
모든 것에
우위를 점하는
반칙이야.

…하지만
이대로는
몸이…

…!

정찰 차량을 통해
후퇴 중인 부대에
이상 발견.

노심… 반응.
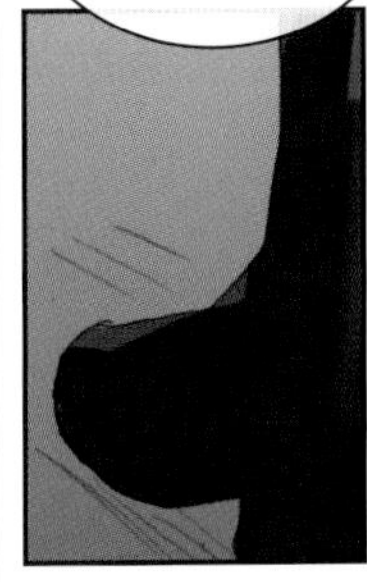

뭐?

대부분의 부대가 당했고
주함 2척 및 아크라이더
소멸 확인됐습니다.

현재 피난함에 대한
노심기의 대규모
포격이 진행 중.

괜찮아…
괜찮을 거야…

파란 녀석인데 형식이 좀 다릅니다.
그리고 예상과 달리 파편 요격보다 잔존 부대 소멸에 집중하고 있습니다.

지금 저곳으로 돌아가는 건 의미가 없어요. 제7 연구동에 가는 걸 우선해야 합니다.

알고… 있어…

…

…제길…

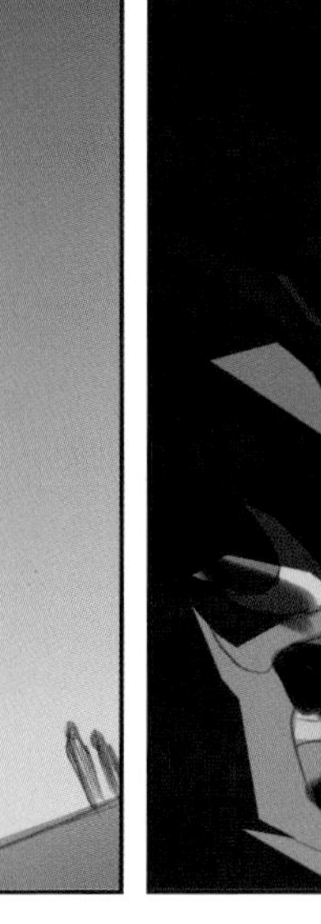

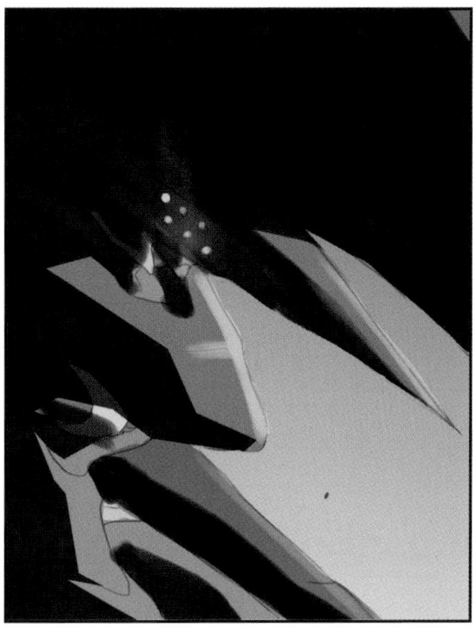

잃고 또 잃고…
더 이상
잃지 않으려면
난…

킥…킥…
키킥…
모두
벌레처럼
죽어.

모두 죽이고
시체까지
벌레처럼 짓이겨서

굴레에서…
벗어나게
해 줄게.

호위 괴수도
없는 상태에서
쉽지 않을걸?
이 몸이
가장 아끼는 인형과
영식전에 대비한 히든
마스터피스 999번 검
블루크로스.

이런 혼란을 만든
앤의 덕이 컸군.
영식 없는
여왕 따위는…

기억이전,
자아확립 완성도
모두 예상치
이상입니다.
참 편리하군.
현접족의 고도의
텔레파시 능력을 이용한
클로닝이라…
어때
새 몸은?

클론이
이어 받은 건
결국 기억뿐…
새 몸에서
실제의 경험이 없이
기억만으로 확립된 자아는
엄밀히 말해 전의 것과
완전히 달라.
네가 알던
카마드는
죽은 거나
마찬가지야.

뭐 네가
밉살스럽게
느껴지는걸 보면
꼭 그렇지만도
않은 듯하지만.
하는 짓이
똑같으면
보는 입장에서는
다를 것도 없어.
원하던 정보는
아까 전달한
그대로야.
날 죽인
파란 녀석의
정보도…

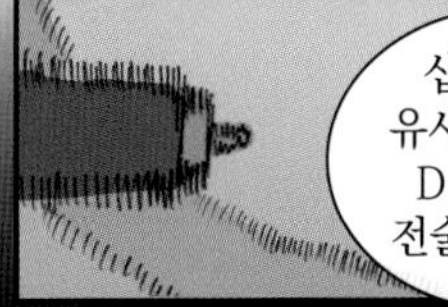
조심해. 보기와 달리 녀석은 접근전용 영식이야.
녀석이 쓴 기술… 본 적 있어.
십자회의 유사 AB소드 D-랜스의 전술 테스트.

프레이가 딱 한 번 보여 줬던 마이어가 단창술을 개량한 기술.
단 두 가지 패턴의 공방이 일체인 단순한 찌르기는… 말도 안 될 만큼 위력적이었지.

검은 만일의 상황을 위한 방어용일 뿐 주무기는 한손창.
한정된 움직임이 영 성미에 안 맞는다는 말도 안 되는 이유로 관뒀다지만 누구도 그 기술을 제압할 수 없었어.
천재란 놈들은 영 알 수가 없다니까.
똑같았어 그 녀석. 검은 자신 있던 나와 카말 모두 단 일 합에 무너졌어.
괴수가 창술을 쓰다니… 믿겨지지 않았지.
하지만 넌 해법을 알겠지.

같은 걸 쓰니까.

이곳은 당분간
안전할 테니 잠시
머무르도록 해.
카…마…
드…

…그래.
식량도 충분하니
오랜만에 동생과
오붓한 시간을
보낼 수 있겠군.

저열원의
정찰용 LAV가 있어.
타고 가는 게
좋을 거야.

꼭 이겨 앤.
우릴 구해주면
내가 부단장
넘길 테니까.
마음에도
없는 소리는…
네 동생이 네 자리
노린다고 날 얼마나
견제했는데…
…아…
카마…드

아…우…
카마…드…
이제
그럴 일은
없을 거야.

카말은…
현접족의 능력도
많이 희석됐어.
우리라고 누구나
완전한 전생을
하지는 못하지.

카말은
기억 이전도
자아확립도
불완전했어.
아…우…

이렇게…
망가진 채
살아야겠지.
이제부터는
일선에서 물러나
이 녀석을 돌보는
삶을 살 거야.

그래도
동생과 함께라니
나쁘지는 않네.
아…우…
카마…드…

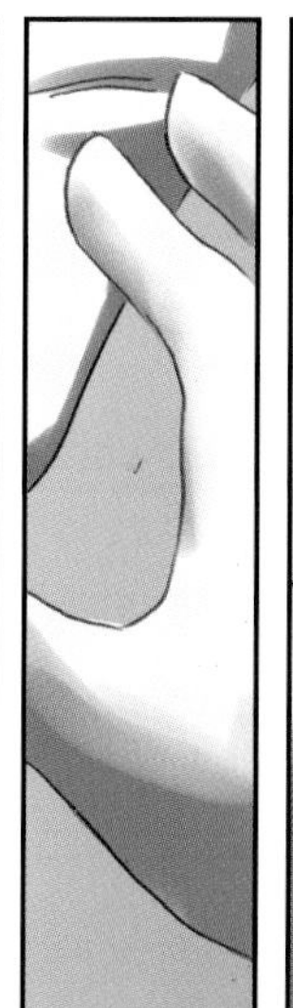

뭐야…
전에는 붙으면
떨어지라고
난리를 치더니
…

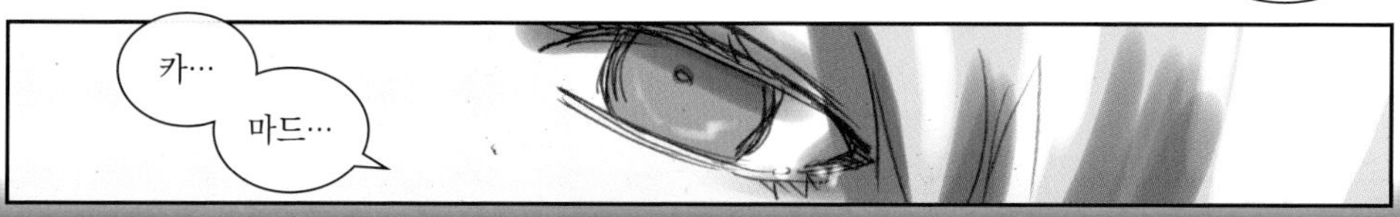
카…
마드…

그렇지만도
않았나…

괜찮아.

나…
여기 있어…

…

…가자…
예.

part 49. 기억 |끝|

part 50

이름뿐인 단장이라 여겼는데 생각보다 실력이 좋아서 놀랍군.
난 인형사야. 최근 기술의 눈부신 발전 덕을 톡톡히 보고 있지.

나름대로 방어에 만전을 기했다고 생각했는데 내부에서 공격해 올 줄이야.
외부의 방어는 인정할 만해.

이 인형은 네 아이들 같은 괴물을 상대하기 위해 AE와 마더나이트의 협력을 받아 만든 최신작이야.
이제 막 포장을 뜯은 새거라고. 거점방어용으로 처음부터 중앙의 메인 홀에 독립된 시스템으로 탑재되어 있었지.

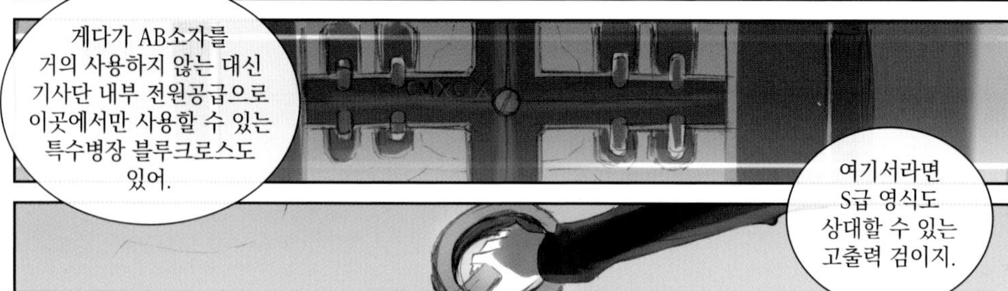
게다가 AB소자를 거의 사용하지 않는 대신 기사단 내부 전원공급으로 이곳에서만 사용할 수 있는 특수병장 블루크로스도 있어.
여기서라면 S급 영식도 상대할 수 있는 고출력 검이지.

그 잘난 영식 하나 정도는 불러도 불평 안 할게. 이곳에서의 내 전투력은 네가 상상하는 것 이상이니까.
마일로 말을 등한시한 내 책임이 커서 말이야.
대신이라기엔 뭐하지만 너에게 모든 것을 가르는 십자가의 기적을 선사해 줄게 프레이.

…이 버전에서
출력과 스피드는
이미 기존 단장급에
도달했다.
하지만
단 두 번의
움직임으로
모두 피했어.
번식 때문에
전력은 깎였을 텐데…
그렇다면…
?!

블루크로스
Blue Cross
전력전개.
全力展開

인형 리미트
Lv.3 해제.

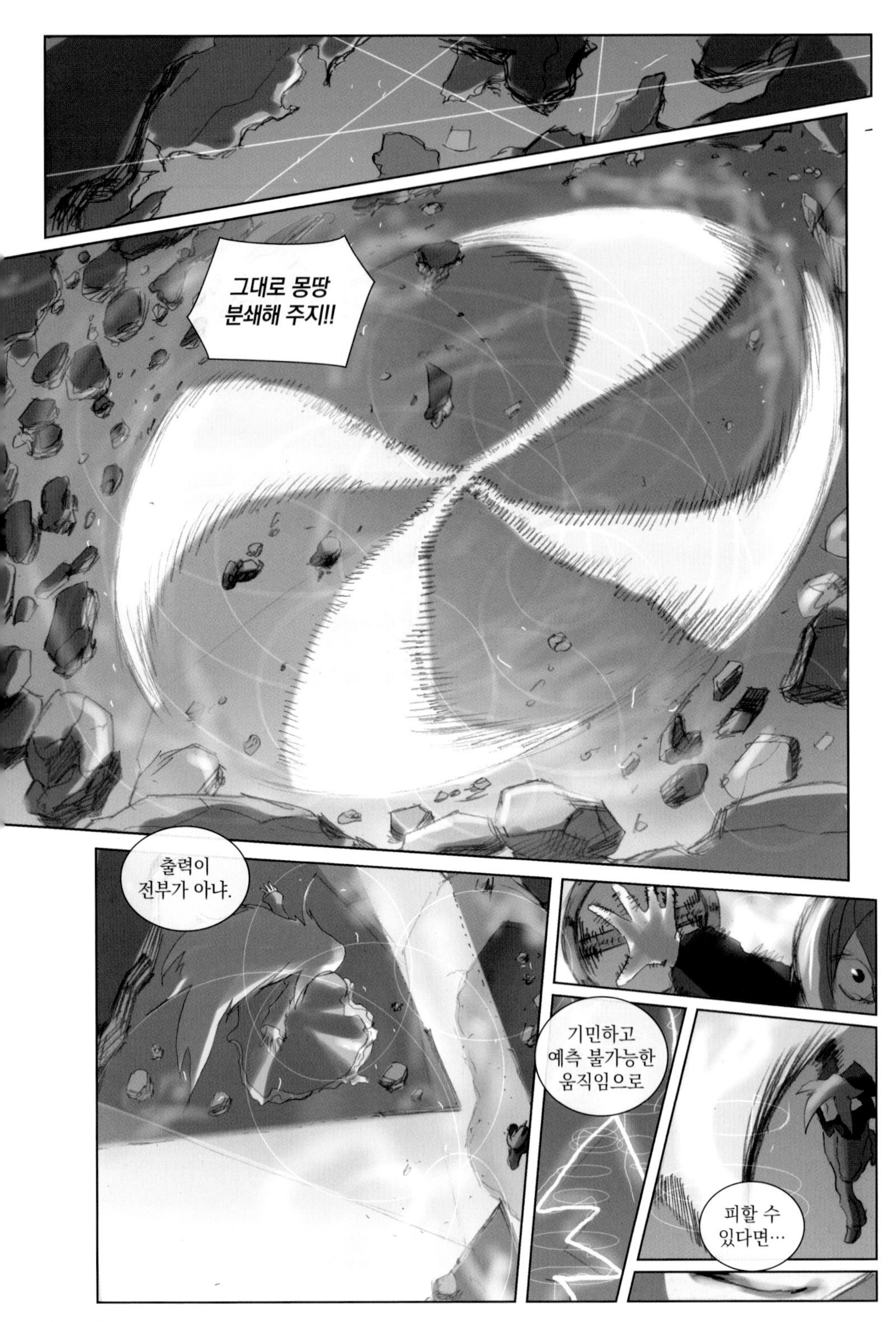
그대로 몽땅
분쇄해 주지!!
출력이
전부가 아냐.
기민하고
예측 불가능한
움직임으로
피할 수
있다면…

단순히
속도와 힘만으로
날 이길 수 있다고
생각한 거야?
청파?!!!
물리적 방어
외엔 막을 수
없어!!

청파기공
青波氣攻

모든 것에 대한 우위.
힘의 차이는
아무 의미가 없다.

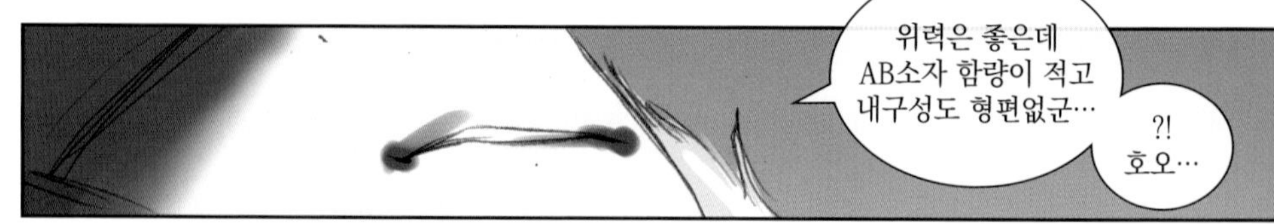
위력은 좋은데
AB소자 함량이 적고
내구성도 형편없군…
?!
호오…

꽤 좋은
인형이거든.
지금의 네 몸으로
계속 푸른힘을
쓸 수는 없겠지.
그럼 바로
지금이 승부를
낼 타이밍이군.

96번 검
트윈스네이크
전개.

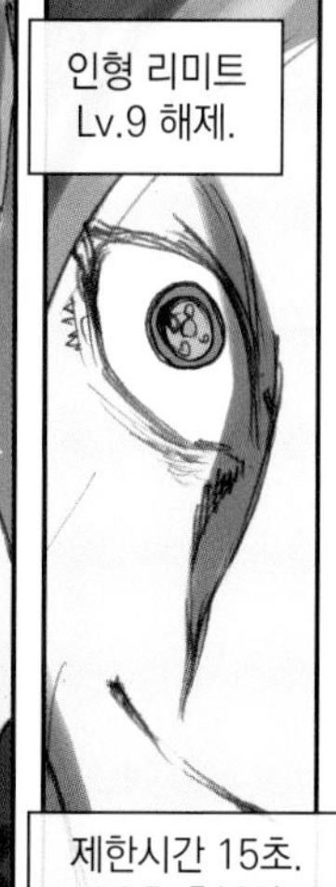
인형 리미트
Lv.9 해제.
제한시간 15초.
10초 후부터
Lv.단계적 하강.

이 15초 동안 난 가장 빠른 기사가 된다.
뱀의 이빨
물어죽이기

……!

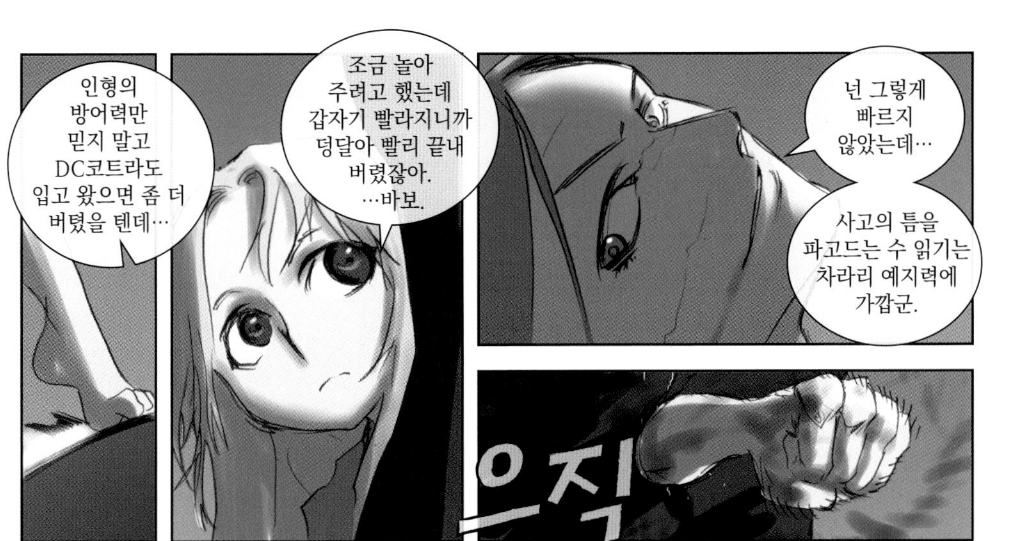
인형의
방어력만
믿지 말고
DC코트라도
입고 왔으면 좀 더
버텼을 텐데…
조금 놀아
주려고 했는데
갑자기 빨라지니까
덩달아 빨리 끝내
버렸잖아.
…바보.
넌 그렇게
빠르지
않았는데…
사고의 틈을
파고드는 수 읽기는
차라리 예지력에
가깝군.
으직

흐음…

계속 접속을
끊고 있기는
부담스러우니…

그만 물러가.
네가 할 수 있는 건
아무것도 없어.
단말기에 불과한
녀석을 상대하자니
피곤하군.

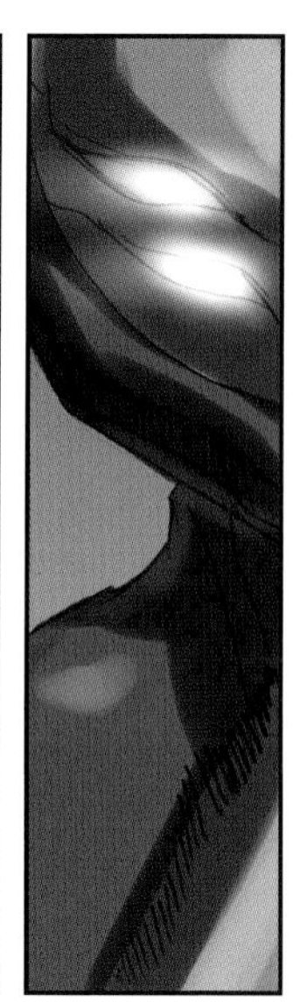

그러는 넌…
아직까지 인간의
모습을 하고서
뭘 바라는 거지?
힘.

인간과 괴수의
데이터를 축적한
최강의 괴수군단.
왜?
세계정복
이라도
하시려고?

모두를
짓이겨
버릴 거야.

그렇게
단 한 명만
남을 때까지
죽여서…
나와 앤만
존재하게
만들 거야.
서로밖에 없는
완전한 관계를
이루기 위해서.

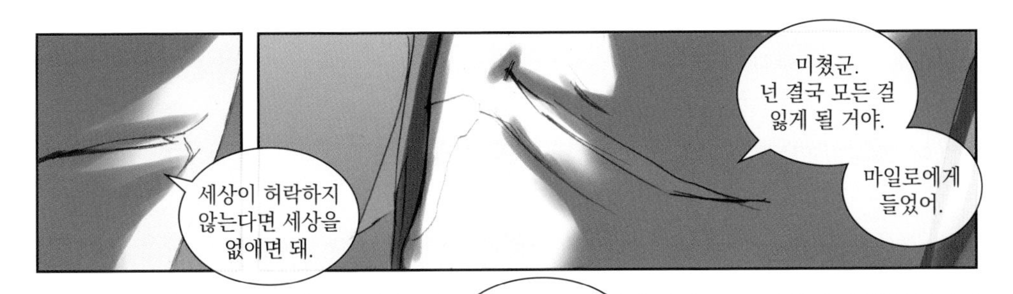
세상이 허락하지 않는다면 세상을 없애면 돼.
미쳤군. 넌 결국 모든 걸 잃게 될 거야.
마일로에게 들었어.

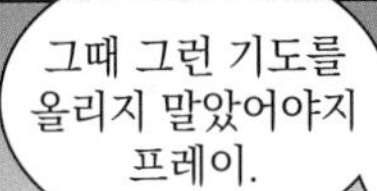
그때 그런 기도를 올리지 말았어야지 프레이.
넌 처음부터 괴물이었어야 했어.

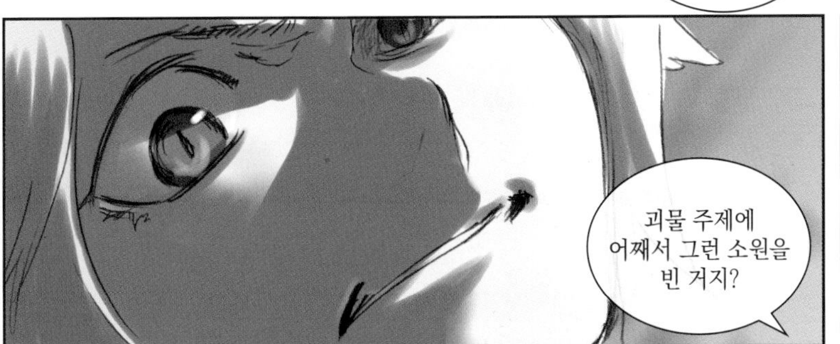
괴물 주제에 어째서 그런 소원을 빈 거지?

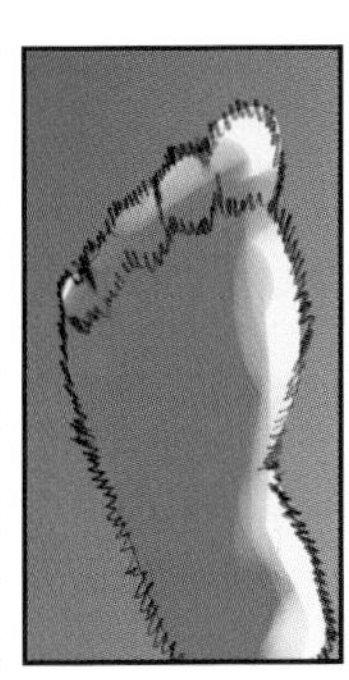

으직

달라… 달라… 난……

네가… 뭘 알아!!!
네가… 네가…!!
퍽
콱
퍽

네가 감히 나와 앤에 대해 뭘 안다는 거야?!!!

난…!!
…난!!!
퍼퍽퍽

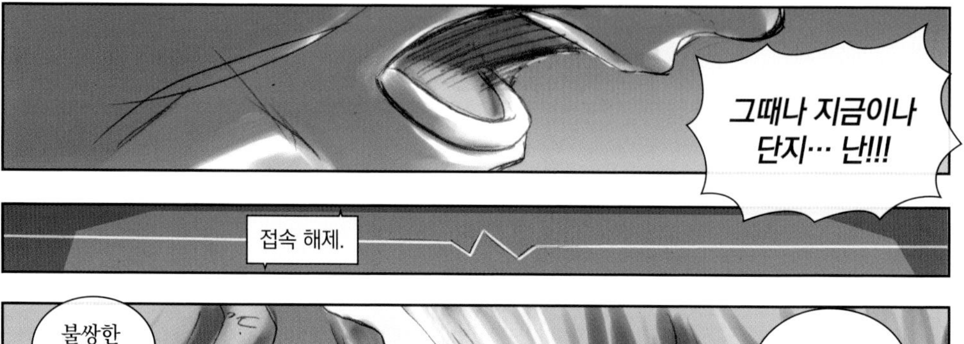

그때나 지금이나
단지… 난!!!
접속 해제.
불쌍한
아이.
너도… 앤도…
마일로도…

과거의 업을
누구에게도 밝힐 수 없어
그저 자신의 손으로
해결할 수 있기를
바라고 있지.
그때 그녀의 소원이
잘못된 것이었다면
그도 위험한 선택임을
알았을 텐데.
단장으로서
바보들의 감상은
그때 말렸어야 했는데…
난 자격이 없어.

넌 '그 일'을
아무에게도
알리지 않고
앤에게 맡겼어.

둘의 관계가
얼마나 위험한 건지
알면서도…

확신이
있는 거야?

내게 확신은 없었다.
그저 바랄 뿐이었다.

그녀를 구원할 기적을.

그 바람은 무엇에서 비롯되었지?

그 성탄절 공연의 세트장?

그때 내가 본 희망은 결국 사라졌지만
분명 그때 그것은…

하아...
하아...

키이이...

알고 있어…
그만할게…

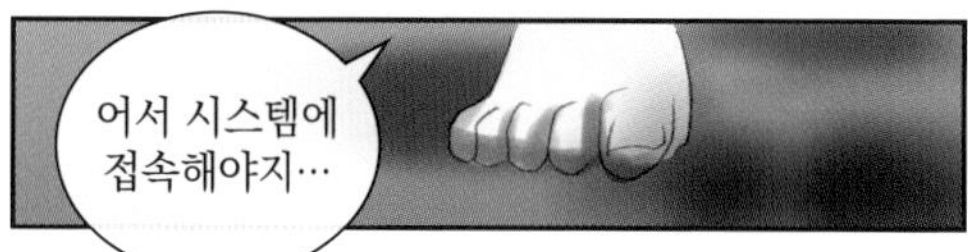
어서 시스템에
접속해야지…

콰트로를
생각하면…
태교에
좋지 않겠지
이런 건…

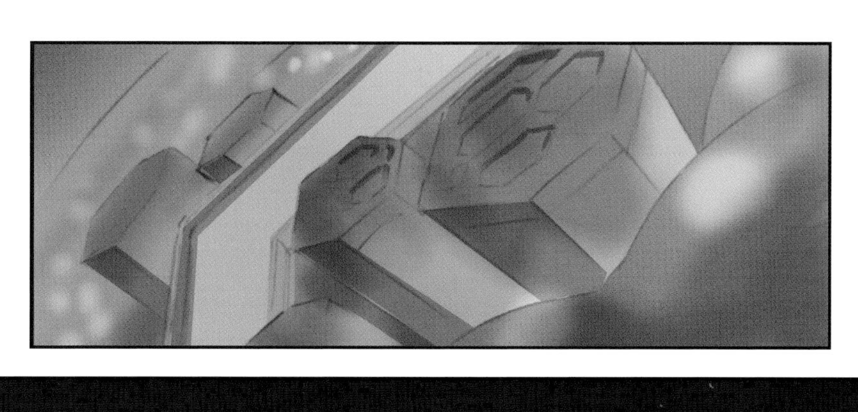

망가지기
전에…
빨리 와 줘…

보고… 싶어…

외로워…

차라리 그때…
따뜻함 따위 느끼지
않았더라면…

아닌가…
시작은 더
이전…

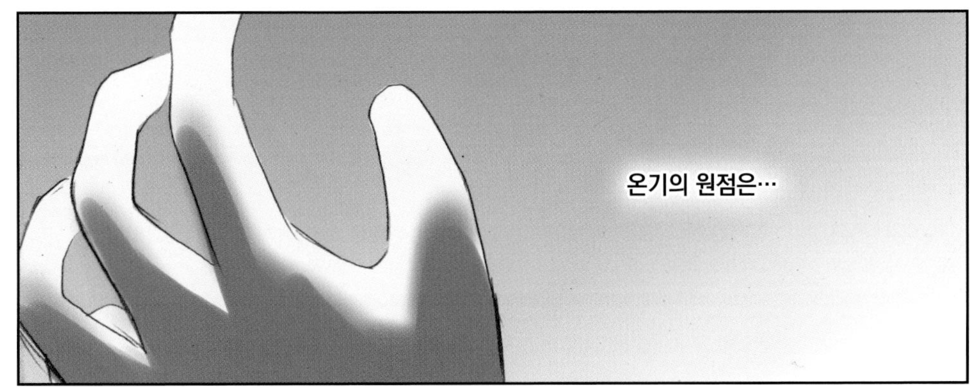
온기의 원점은…

예쁜…
얼굴이네요.
처음으로 느낀 온기.

전 피온이라고 해요.
part 50. 온기의 원점 |끝|

part 51

중앙에서
알키오네에 대해 아는 건
노튼 제독님과 마더나이트,
그리고 마스터 정도입니다.
아이올로스[Aeolos]는
원형이 보존된 채 잠들어
있을 것으로 보입니다.
발견한다면
마스터가 넘겨주신 DF형
해제코드를 통해 전력화가
가능하겠지만… 4세대
엔진이라 장시간 운용은
어려울 겁니다.

그래…
그런데 아무리
대공방어진지라지만
이렇게 대놓고 괴수의
본진을 질주하다니
오싹하네.

발사 궤적을 빼면
예전에 올려다보던
하늘과 다를 것
하나 없는데…

…질문 하나
해도 될까요?

…어째서
가시는 거죠?

모두가 마스터에게
희망에 걸고 있다고 해도
객관적으로 상황을
판단하자면…

죽으러
간다고밖에
볼 수 없어요.
게다가 마스터가
그 '붉은힘'을 몸에
축적하고 정제하면서
육체는 붕괴하고
있다고요.
왜 그렇게까지
해야 하는 건지…
전 아직 모르겠어요.

이럴 때 감정을 개입시키지 마. 이겨야 하니까 하는 거야.
그 힘과 육체 활성도를 목표치까지 끌어 모아야 잠시나마 그 시절에 가까워질 거야.
제가 우선하는 건 마스터의 승률이 아닌 생존확률이에요.
비록 태어난 지 947시간밖에 안 됐어도
제가 지켜야 할 마스터가 목숨을 걸만한 일이라면 그게 무엇이든 알고 싶다는 게 제 솔직한 감정입니다.

마스터가 목숨을 걸 만한 이유라면
제가 목숨을 걸 이유이기도 하니까요.

... 그런 게 있어.
도저히 외면할 수 없는 것, 결국은 마주보아야 하는 것들 말이야.
내가 결말을 지어야 할 이야기가 이곳에 있어.

그 후로
어떻게 될지는
아직 생각
못 했어.

다만 지금은
같이 올려다보던 하늘이
이곳에 있으니까

그저 그 추억의 하늘을
따라가는 것뿐이야.

뭔가 논리적이지는 않지만…
분명 마음이 움직이는 이유… 같아요.

이게 제가 가진 마음이라면 …
마스터와 한마음으로 제 목숨을 걸겠습니다.

… 그래.
함께… 해 줘.

과연 비싼 게 좋긴 하네. 최첨단 인형이라…
그건 차별적 발언입니다.

?!

조금… 피곤…하네.

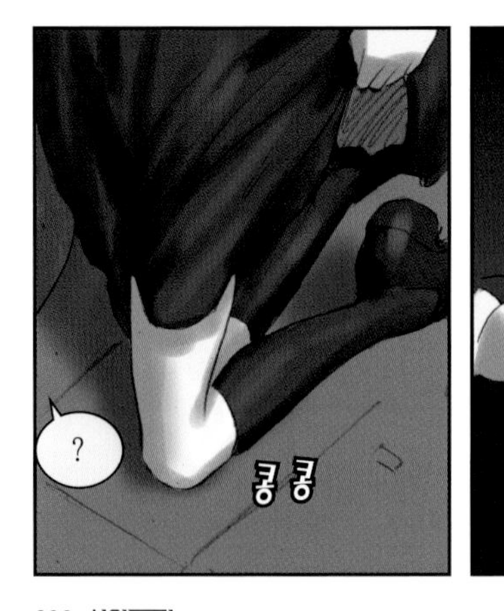
?
쿵쿵

여기 누우세요.
팡팡

…그럼…

신세 좀 질까?

편히…
쉬세요.

…응.

아주 잠깐이라도…
부디 좋은 꿈 꾸시길…

꿈.

프레이.

나.

나와 프레이의 시작이 어땠지?

기억나지 않는다.

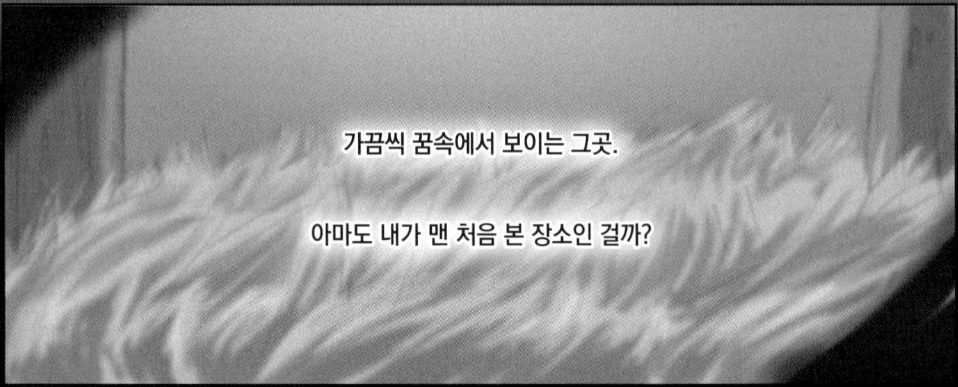

가끔씩 꿈속에서 보이는 그곳.

아마도 내가 맨 처음 본 장소인 걸까?

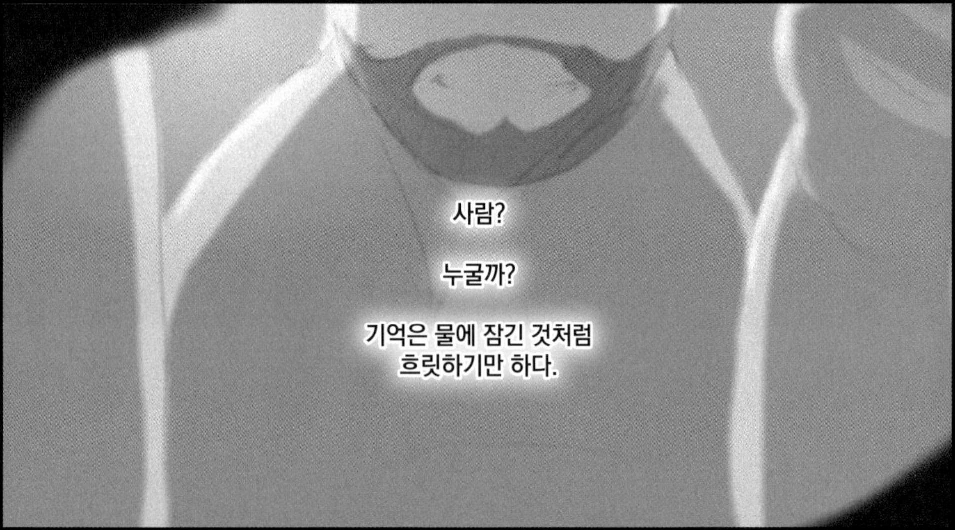

사람?

누굴까?

기억은 물에 잠긴 것처럼
흐릿하기만 하다.

그래도 마지막에는 기분 좋은 따스함이 느껴진다.

앤은…
기억하고 있을까?

그 남자는 분명 이것을 축복이라 했어.
…지금은 그렇게 생각하지 않겠지만.

나는 그 일을 축복이라고 생각했어.
지금은… 나도 모르겠지만.

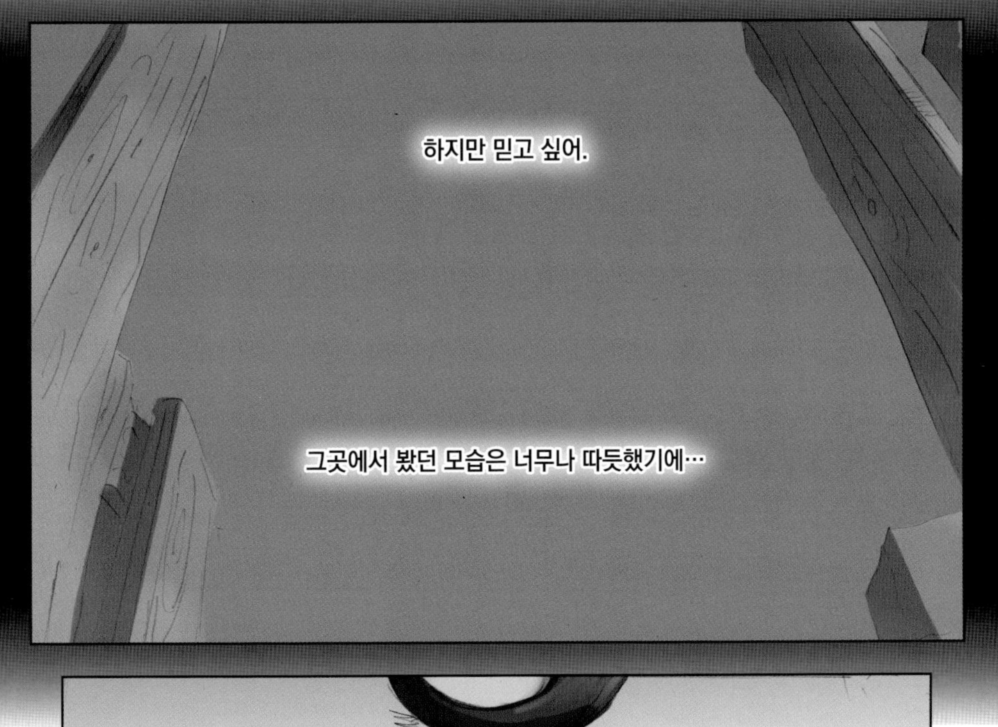
하지만 믿고 싶어.
그곳에서 봤던 모습은 너무나 따듯했기에…

광

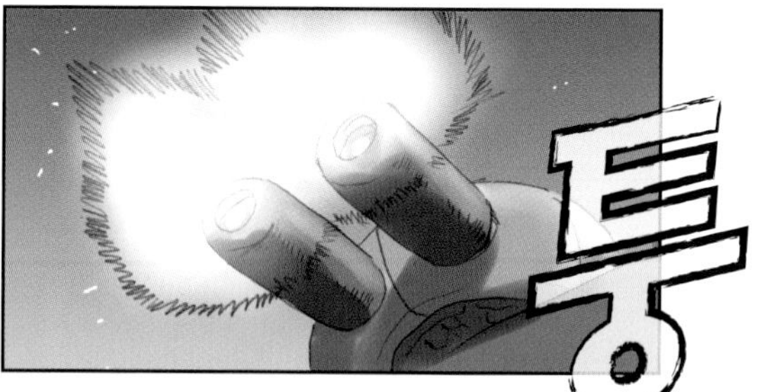
퉁

뺑소니는
기분 좋은
거였군요.
끼기기기
아니야-

보험 처리도
안 되는데
그만 좀 쫓아오지
끈질기긴.

마지막의
마지막에
들키다니.
서둘러야 해.

내려서
시간을
벌까요?

내버려 둬.
더 지체했다간
타이밍을 놓쳐.

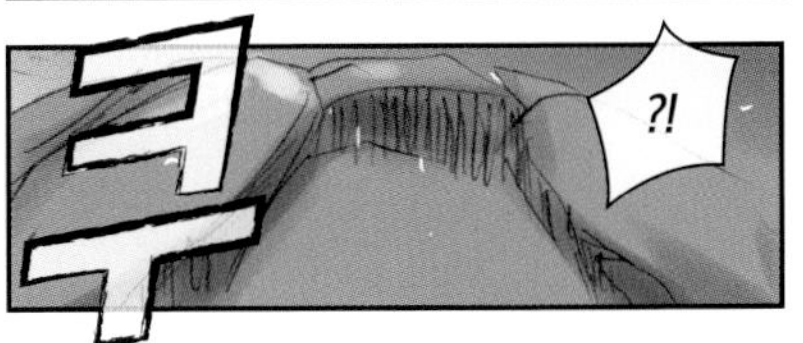
쿠
?!

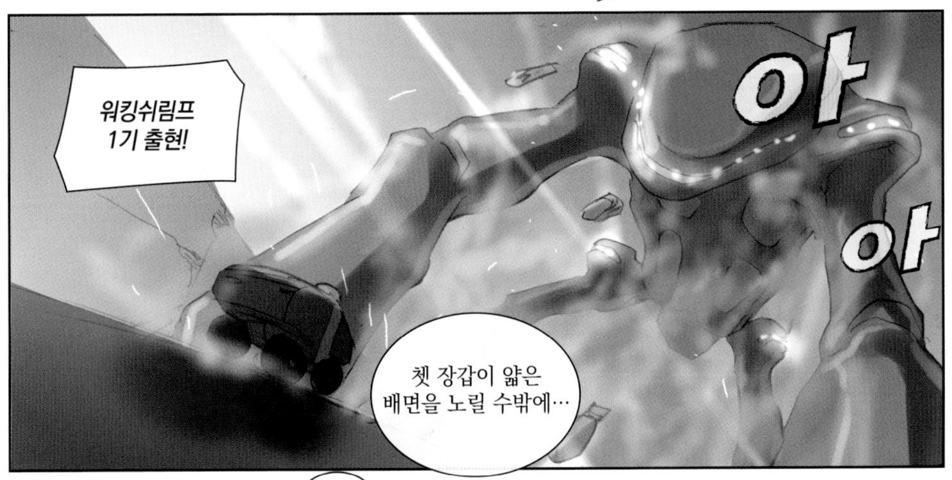
워킹쉬림프
1기 출현!
아
아
첫 장갑이 얇은
배면을 노릴 수밖에…

라져.

어?
퉁

웅

차

콰

텅

투투투투퉁
히엑!!??!!
핑글
끼익끼릭
으아아아아!!!
각부
회전수
콘트롤.
70%
30%
키
텅

워킹쉬림프
다운.
재가동까지 15분은
걸릴 겁니다.
쿠
궁
나머지는…
내버려 둬.
시간은?
으 속이…
12:30
입니다.
우웁.
타이밍은
좋군.
숨겨둔 저궤도
스텔스 위성에
지원사격을
부탁했지.

바로 지금
여기에 말이야.
문제라면…
우리가 아직
빠져나가지
못했다는 거지.
아.

뛰어!!!!!

아이올로스는?
1차 코드
입력 완료!
해치 개방 후
부상 중.

우

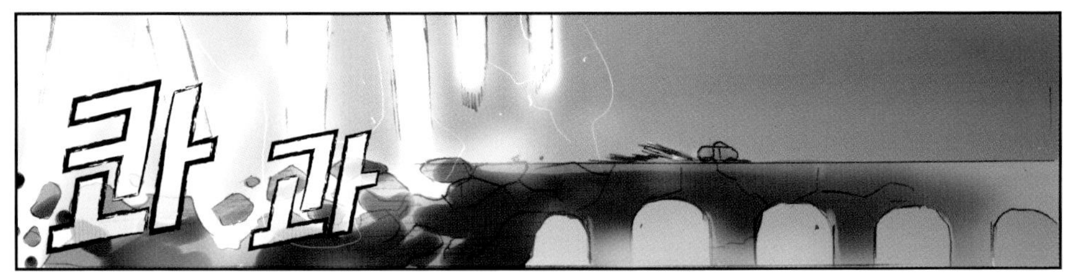
콰과

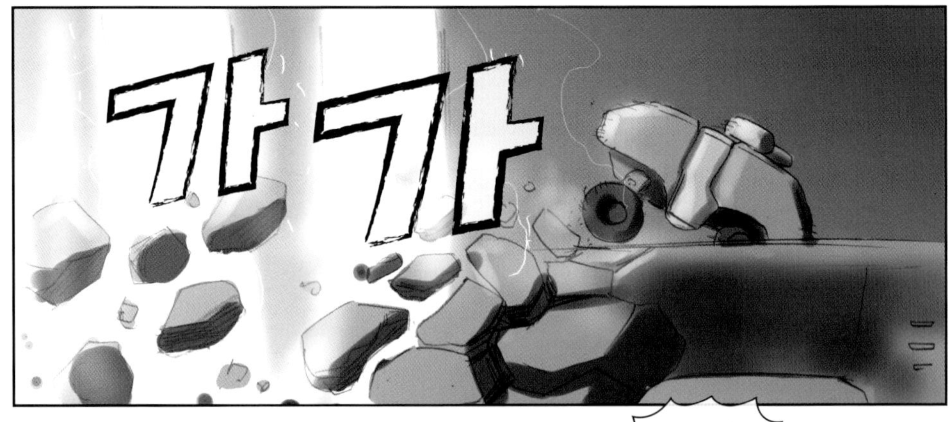
가가

그래도
스릴은
넘치네요.
아버님이 말씀하신
어트랙션이란 게
이런 느낌일까요?
이따위
어트랙션
공짜라도
안 타!!!
나왔…

두두두두두

콰앙

끼기기기

착
마스터!!!

아주 아주 굉장히
무사하지 못해.
무사하십니…

늦지는 않은
모양입니다.
코드
입력은?!

촤
아

만능전함 알키오네의 시작 실험기.
아이올로스
Aeolos

비어있는 본진에 전함을 띄우는 데 성공했다.
이제부터는 적들이 오기까지 시간 싸움. 속도전이다.

아이올로스 [Aeolos].
블랙홀엔진 실험기라서 화력도 약한데다 엔진마저 알키오네에 넘기고 4세대로 마이너체인지한 상태지만
그래도 최신기술이 집약된 기체니 잠깐은 버티겠지.

안경 안경…
그 안경
벗겨지기도
하는군요…

어쨌건…

도착했군.
전 중앙기사단
본부이자…
여왕의 둥지인
코어템플에.

part 51. 도착 (상) |끝|

part 52

Knight Run

콰
과
적의 장갑이
단단하다!
지원군을 불러!!
제길
도시가…
쿠
구
여왕 침식도 없는데
푸른꽃의 잔해가
왜 이제 와서…
이대로라면
이 행성은…
적에게 밀립니다!
화력이 부족합니다!!
바바바바바바바
바바바바바바바
민간인 피난 속도에
맞춰 후퇴한다.
델타팀은 민간인
피난 유도를 맡아!
?!

어디 가?
민간인
한 명 발견!
구조하겠습니다!
어이 꼬마야
괜찮니?
민간인 한 명
구조 완료 후
이송 중!

천문학적인 피해를 낸 괴수의
게릴라성 공격을 감당 못하고
현 행정부는 행성 포기를 선언,
극심한 소요사태가 우려됩니다.
언제부터 여기 있었는진 모른다.
그저… 언젠가부터
모두가 죽어가는 세상에서
홀로 살아가고 있었다.
누군가의 터전을
빼앗는다.
그렇게 추위를 피해
하루를 연명한다.
하탄 행성 지원은
계속되고 있지만
극도로 불안한 치안은
자율적 시민의식에
맡길 수밖에 없는…
그게 당연한
일상이었다.
이곳을 선택한 건
인간의 말을
가르쳐주는 사람이
없었기 때문이다.
말은 개념이자 문화이다.
생각과 행동에 의미를 부여하며
여러 가지 쓸데없어 보이는 일을
하게 한다.
생존 이외의 것을
생각하게 한다.

내가 먹으려면
빼앗아야 한다.

거기엔
아무런 의문이
들지 않는다.

빡
배고프니까
죽이고

cuttlefish
살기 위해
먹는다.

아무 문제가 없다.

하지만 말은
단어로 규정되는
의문을 낳는다.
아빠!!!
그리고 그 의문이
판단에 개입한다.

내가 잘 알지 못하는…
공감이 어려운 감정을
불러일으키면서.

아빠
괴롭히지 마!!!
의문.
헉!!

의미있는 삶이
희망을 낳습니다.

온기를
당신 손안에!!
555-XXXX.

연락이 불가능한 분은
가까운 고식 교회 캠프를
찾아 주세요!!

내 안에 없는 것…
그렇다고 밖에서 그 예를
찾기 쉬운 것도 아니었다.
쓰레기 같은 세상.
쓰레기 같은 인간들이
타인을 죽이고
범하고
강탈한다.
내놔!!
꺅!!
어휴
이게 진짜…
이거 끌고
갈까?
쓰레기 같은 인간들이
서로 죽고 죽이며
파멸해 가는 모습이
꽤 흥미롭기도 하다.
야야 교회 애야.
거기 신부 놈이
귀찮게 하니까
내버려 두고 그거나
갖고 튀어!
이것도
내놔!!
?!
이…이건
동생 약이라서
안 돼요!!
저리 안 가?!
이게 뇌는 게 없으니
겁을 상실했나…
꺅!!
제발
약만은…
어라? 사람 말이
말 같지 않아?
저리 가라고!!
제발…
동생이…
…가족…

아 그래
이거 줄게.
그럼 너도 뭔가
줘야겠지?
공격 +3
가자니까
진짜?
으
직
투둑
털썩
자…잠깐
테드!!
이 꼬마…
야 물어볼 게
있는데…

제… 제길 너…
어…얼굴 기억했다!!!
테드 미안!!

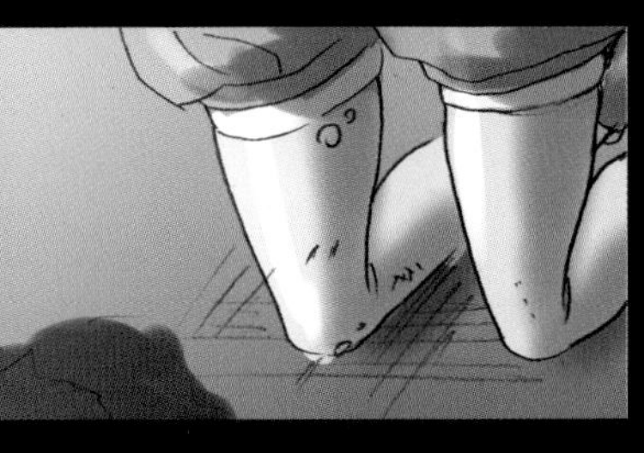

죽인…
…건가요?

기다려.
물어볼 게 있으니까
대답하면 마저 죽…

으…
아직
살아있네.

아…안 돼요!!!
……
…왜?
사람의 손이 따뜻하다는 걸 알게 된 그 순간 잠시나마 동작이 멎었다.
누구에게나 소중한 사람이 있어요.

그녀는 내게 결여된 무언가를
알려줄 거라는 예감이 들었다.
저 사람도 누군가에겐 분명 소중한 사람일 테니까…
사람은 누구나 서로 연결되어 있어요.
그걸 끊어서는 안 돼요.
…

소중하다…
손을 내린다.

강한 호기심이 발동한다.

내게 부족하다고 느껴지는 게 뭔지 알고 싶다.

그건
서로가 소통하고
닿게되면
생기는 것이에요.
온기
이렇게
닿아서…
나와 상대의
온도가 서로
더해질 때…

이곳에
생겨나는 거예요.

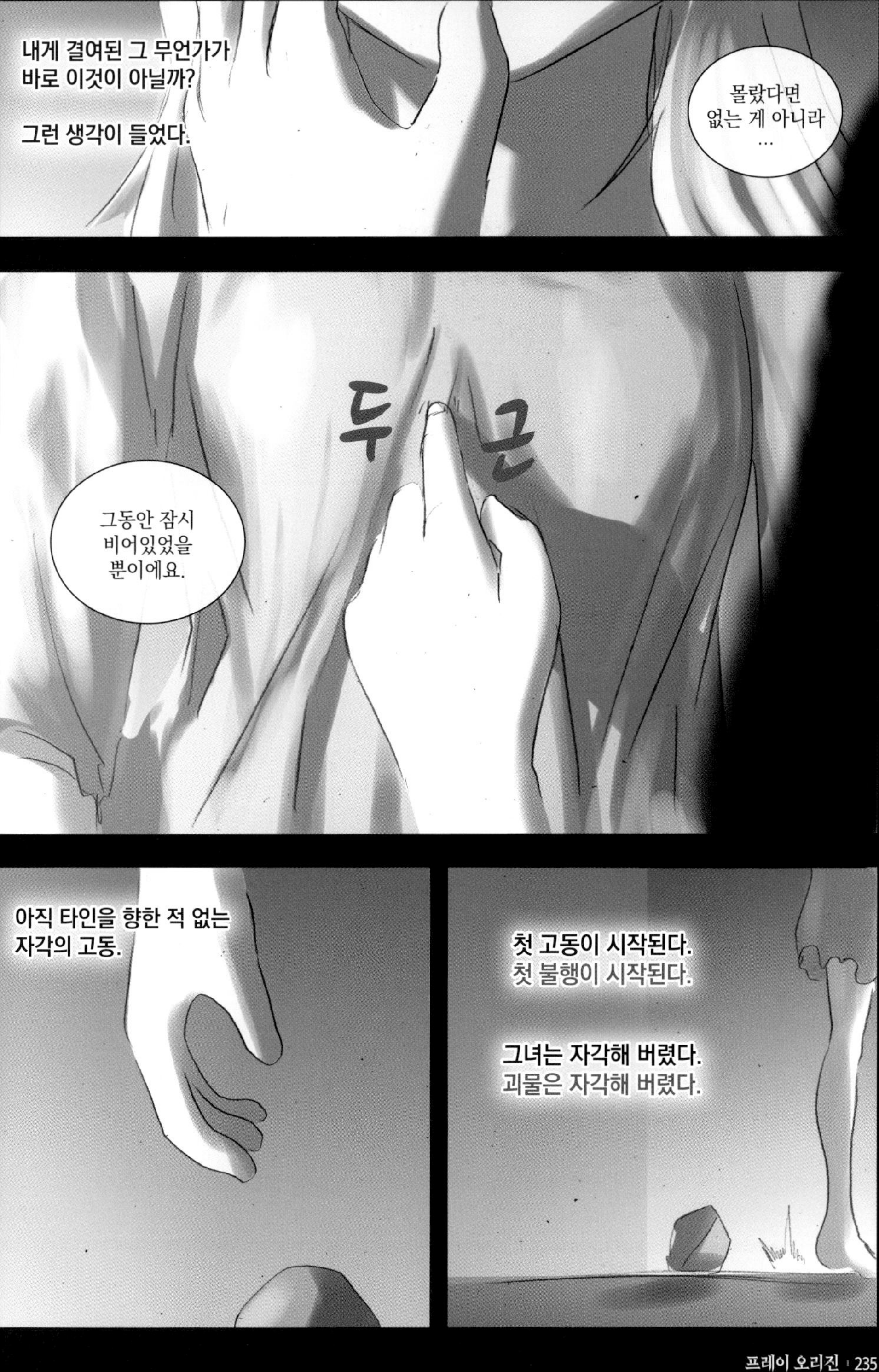
내게 결여된 그 무언가가
바로 이것이 아닐까?
그런 생각이 들었다.
몰랐다면
없는 게 아니라
...
두근
그동안 잠시
비어있었을
뿐이에요.
아직 타인을 향한 적 없는
자각의 고통.
첫 고동이 시작된다.
첫 불행이 시작된다.
그녀는 자각해 버렸다.
괴물은 자각해 버렸다.

그것은 호기심이 아니라
외로움이라는 감정이었다.

인간을 증오하는 괴물이
인간을 닮도록 만들어져
인간의 손길을 갈망하는 모순 속에서
구원을 찾을 방법은 없었다.

적의 대공방어가 거세니
병력이 더 모이기 전에
초저공 비행으로
고속 돌파한다!!!

제2라인
돌파!!
차

두
두
두

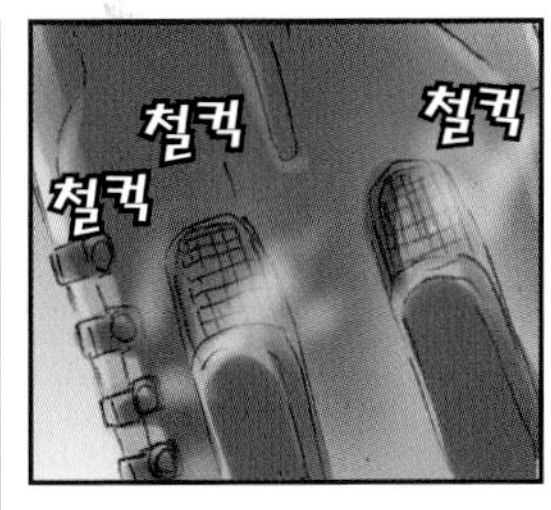
철컥
철컥
철컥

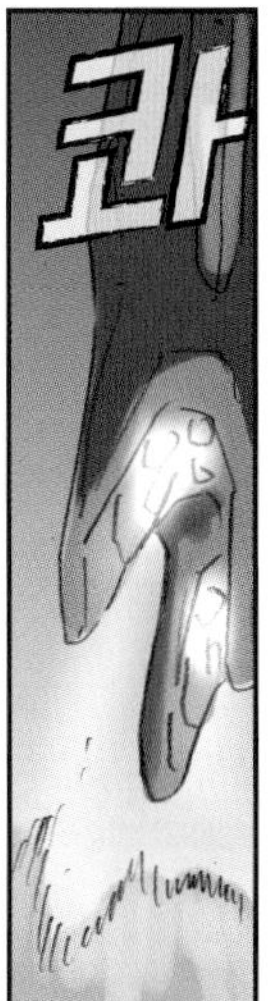
콰

쿠

두두두두두

콰아

투
투
투
투

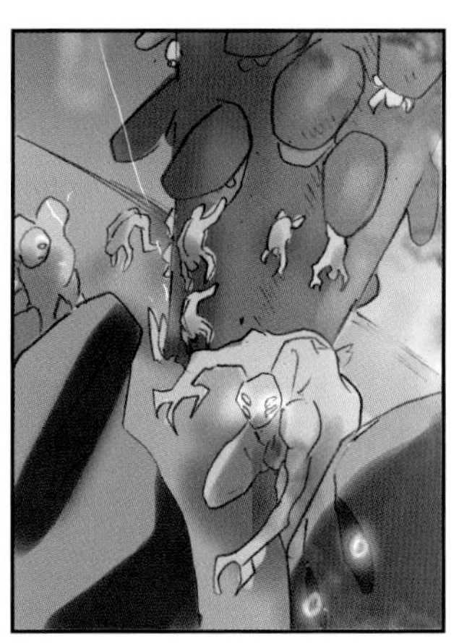

으직

쿠우

타악

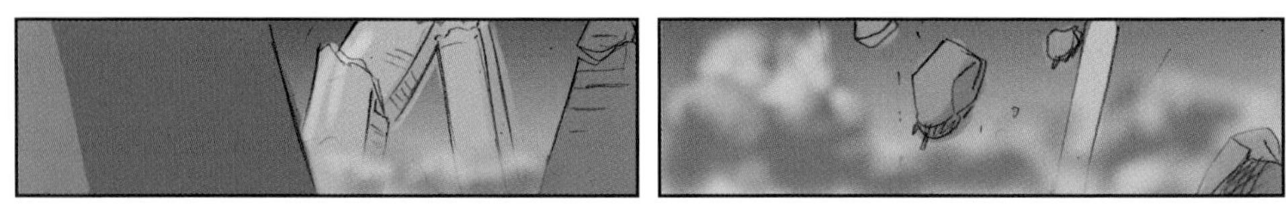

쿠웅

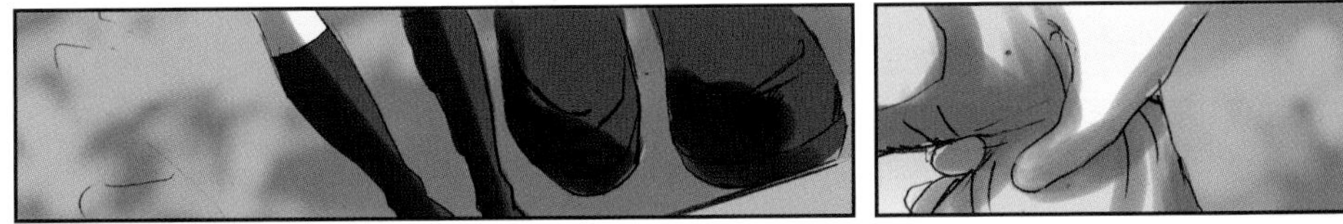

도착했습니다.

잘도 섰네.
안 그래도 중앙엔
조형물이 부족하다고
생각하긴 했어.
꽤 전위적인
조형물이네요.
곧 크리스마스야.
트리 대신이라
치자고.
part 52. 도착 (하) |끝|

part 53

Knight RUN

나는 그녀를 따라가 보기로 했다.

내 의문을 풀기 위해…

그리고…

본능을 따랐을 뿐이다…

예 고아원이요.
아프고 외로운
아이들이 모인
곳이죠.
푸른꽃의 잔해가
떨어진 후 아무도
구호활동을 하러
오지 않아요.
신부님 혼자
모두를 구하기는
무리니
우리가 서로
뭉쳐야 해요.
제가 고아원에
있을 나이는 아니지만
안내용 장비로 어느 정도
가사를 할 수 있어서
돕는다는 핑계로
머무르고 있어요.
전 피온이라고 해요.
당신의 이름을
알 수 있을까요?
없어
그런 거…
…
그래요?
전 선샤인시티에서
왔어요.
어디서 오셨나요?

저곳에서…
온 것 같아.
그래서
이 쪼끄만 녀석은
뭐야?

요정처럼
홀연히 나타나
저를 구해
주셨어요.
밥 내놔
애꾸눈.
요정치곤 말투가
좀 거시기하다?
아 그냥
만만해 보여서
그러는 거예요.
너도 은근히
말이 심하네?
너…
알고 있어.
소문의 그
괴물 같다던
꼬맹이지?
…흠…
뭐야?
그냥 버릇없는
꼬맹이잖아.
악!
이 쪼다가…
너
인마!!!
차…
참으세요…

서로 의지하지 않으면
살아갈 수 없는 병자들.
손이 모자란 이곳에서는
약자인 그녀마저도
더 약한 자를 돕는다.
약한 자를 구하는 건
강자가 아닌 약자였다.
푸른꽃의 잔해는 끈질기게 활동을 유지하며 살육을 일삼는 괴수를 생산하고 있어요.
모든 게 엉망이지만
우리는 아직 여기에 있어요.
그게 모든 것이 부족하고 괴수가 설치는 이곳에서 신부님이 우리에게 가르쳐 준 삶의 방식이죠.
약자가 모여 서로를 보호하는 공동체, 그러니까 가족을 이룬 거에요.
인간이 많은 건 별로
좋아하지 않는다.
하지만 그들의 행위엔
조금 눈길이 갔다.

저게…
뭐야?
크리스마스 트리 몰라? 곧 있으면 성탄절이잖아.
뭐 간단히 말해 멋진 사랑의 전도사님이 백라이트를 깔고 탄생하신 걸 축하하는 날이지.
성탄절…
탄생…
축하…

밥도 없는 판에 트리라니…
이게 맞아?
종교의 이름을 팔면 나름 떨어지는 게 많으니까.
근처 군까지 모아서 모금도 하고 자꾸 일을 벌여야 한다고.
그리고…
아이들에게
자신이 축복받은
존재라는 걸
알려주고 싶었어.
그저 살기 위해
사는 게 아니라…
자신이 받은
축복을 통해
뭔가 가치가 있는
삶을 추구하길
바랄 뿐이야.
그저
살기 위해…
사는 게
아니다…?
그 말이…
고통과 함께 마음 속 깊이 새겨진다.
그때 난
혼자였어…
아무도
축복해 주지
않았는데…
내 의미는…

누구나 처음부터 의미를 가지고 태어나는 건 아니에요.
태어난 건 누구에게나 큰 축복이에요. 당신도요.
…그거 알아요? 크리스마스엔 선물을 받아요.
성스러운 날 주님께 기도도 하고, 아이들은 산타클로스라는 할아버지에게 선물을 받죠.
아이들은 양말을 침대 밑에 걸어놓고 선물을 받길 기다려요.
저도 다 컸지만 소원을 하나 빌었어요.

크리스마스 선물로
친구가 생겼으면
좋겠다고 기도했고…
이렇게
이루어졌네요.
당신은 제게
선물 같은
존재예요.
다가오는 손길.
채워진다고 느껴지는 착각.
그리고 동시에 몰려오는 건…

참을 수 없는 혐오감이다.

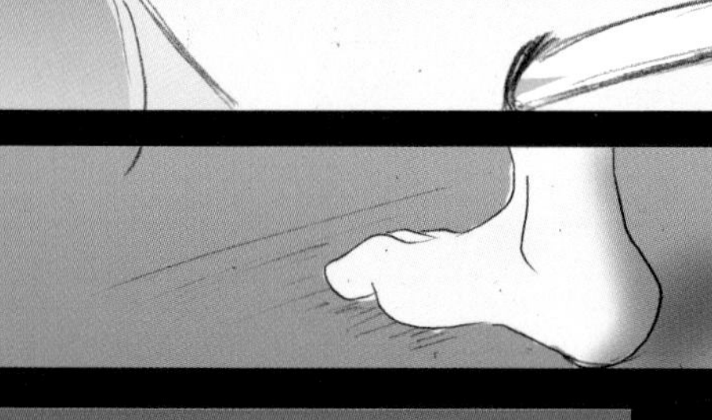

어찌할 바를 몰라 그저 도망친다.

먹을 거… 안 받아 가셨어요.
그리고 선물도 가져왔어요.
찾기 힘들었어요. 의외로 아늑한 곳에서 사시네요.
빼앗았어.
…그…그럼 안 되죠…
…왜 왔어?
내비의 이미지 피드백으로는 읽기 힘든데… 점자책을 가져와서 읽어드릴 걸 그랬네요.
…
너무 경계하지 마세요. 함부로 다가가지 않을게요.
그냥… 당신이 좋아요.
…글 못 읽어.
저도 사실 타인과 접촉이 많지 않아서 어떻게 다가가면 좋은지 잘 몰라요.
파편 낙하 때 시력을 잃고 여기저기 떠돌며 살았어요. 험한 꼴도 많이 당했죠…
친구를 만들 여유는 별로 없었어요.

푸른 지붕의 앤.
그래서 이 책이
끌렸나 봐요.
서로 우정을
맹세하는 장면은
눈부실 정도였죠.
주인공인
앤과 다이애나는
너무나 낭만적으로
우정을 나눠요.
고지식할 정도로
진지해서 웃음이
나기도 했지만요.
정말 예쁘게
서로를 위하는 모습…
무엇보다 앤이라는
주인공이 너무너무
저를 설레게 했죠.
천애고아였던 앤은
푸른 지붕 집에서
모든 걸 얻었거든요.
가족과 친구, 연인.
그런 친구가
간절했는데
당신이 절
구했어요.
그래서…
조금 설레서 제가
앞서갔나 봐요.
저도 그런
푸른 지붕 집을
꿈꿨어요.
상상 속의 친구밖에
없었던 다이애나가
사귄 첫 친구가 바로
앤이고요.
제 눈동자 색은
기억나지 않아요.
워낙 어렸을 때 일이라…
안구가 다 타버려서
확인할 수도 없죠.

하지만
책의 삽화에서 봤던
앤의 붉은 머리와 녹안은
선명하게 기억이 나요.

둘의
우정의 서약은
지금도 외울 수
있답니다.

그녀의 말에… 가슴이 뛴다.

전 점자책이 있으니
이걸 선물로 드릴게요.
그리고 읽을 수 있도록
글 가르쳐드리러
다시 올게요.

그렇기에…

이 여자가 싫다.

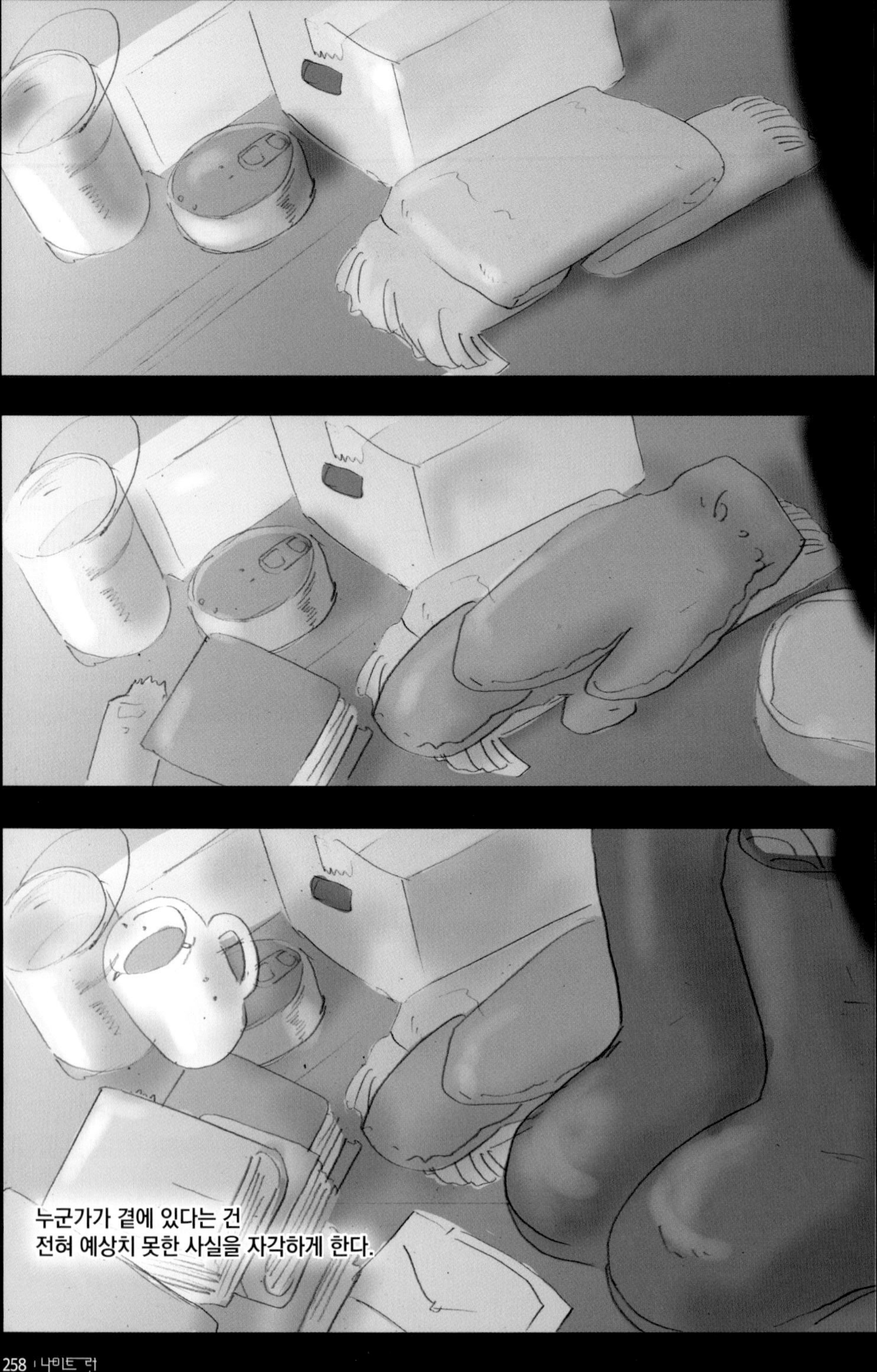
누군가가 곁에 있다는 건
전혀 예상치 못한 사실을 자각하게 한다.

읽고

배우며

마음이 형성된다.

혼자일 때는 만들어지지 않는다.

어떤 식으로든 누군가와 감정을 주고받을 때
비로소 마음이 자리를 잡는다,

그리고 그 마음은

타인과 나의 경계를 일깨운다.

마음이 있기에…
내가 혼자라는 걸
깨닫게 된다.
외로움을 느낀다.
마음이 있기에…
혼자라는 사실이
아프다.

괴수의 플랜트 활동
억제를 위한
인공 기후 조절이
시작되었습니다.
시민 여러분은
군부대의 유도에
따라 캠프로 이동해
추위를 피하시기
바랍니다.
이곳에
눈이 내린 적은
없었는데…
이 도시 최초의
화이트 크리스마스가
되겠네요.
이 사람 때문이다.
진짜 눈은
한 번도 본 적 없지만
이게 뭔지 느껴져요.
저리 가.

…!!!!!
치우라고
!!!!!!!!
파악
차
너 때문에…
난…

알 수 없는 혐오감과 갈망.
다가…
오지 마…
나 자신도 당황스럽다.
알고 싶지
않았어…
하지만
알아 버렸어.
너 때문에…
온기…
필요하다.
그러나…
싫다.

미안…해요.
하지만…
그래도
다시 내민 손을
바라본다.
피하기만
해서는
나아갈 수
없어요.

처음부터 난 모순된 존재다.
내민 손을…
결국 잡지 못한다.
영원히 혼자일 수밖에 없는 존재.
온기는… 독이다.
심장을 뛰게 하는 독.
다시는 보지 않을 거야.

가지 마!!!!!!!!
넌 나의 첫… 친구란 말이야…
넌 내가 싫다고 하지만…
그러면서 막상 떨어지지는 못하잖아!!
너도 외…외로운 주제에!!!!!!!

온 힘을 다해
전하는 마음.
싫다고 해도
좋아!!
난 상처 받지
않을 거니까!!
나 혼자서라도
계속 네 옆에
있을게.
외롭게…
하지 않을게…
일방통행의 관계.
그래도 난
괜찮으니까…
그것만이 그녀가
용납할 수 있는 관계라면…

닿지는
못해도…
분명 이어져
있을 테니까…
손은…
닿지 않는다.
이렇게 일방적인 관계일 뿐이라고 해도…

네가 좋아.

피온은
내 손 대신
난… 네가 싫어.
응.
그래도 괜찮아.
우산을 힘껏
움켜쥐었다.

하지만
고마워.

생전 처음 해 본 말…

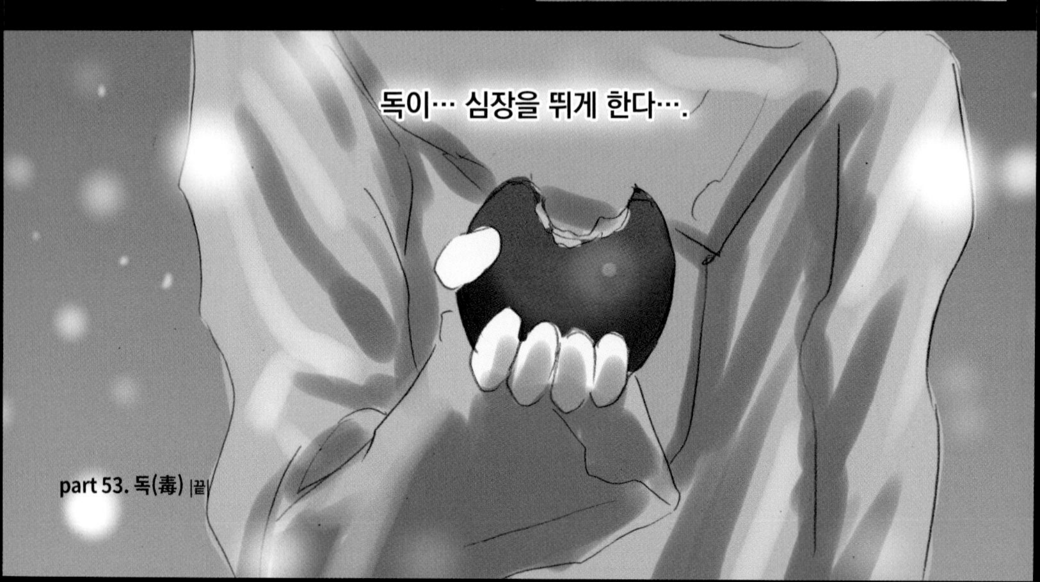

part 53. 독(毒) |끝|

6권에 계속